à anik, de
Sophie et Josée xx

YVON DELISLE
Préface de Marie-Éva de Villers

Mieux dire
Mieux écrire

PETIT CORRIGÉ DES 1500 ÉNONCÉS LES PLUS MALMENÉS AU QUÉBEC

3ᵉ ÉDITION

Septembre
éditeur

ÉDITEUR
Denis Pelletier

AUTEUR
Yvon Delisle

RÉVISION LINGUISTIQUE
Martine Pelletier

CONCEPTION ÉDITORIALE
André Mercier

CONCEPTION VISUELLE
Bernard Méoule

INFOGRAPHIE
Nathalie Perreault

© **LES ÉDITIONS SEPTEMBRE INC.,**
   TOUS DROITS RÉSERVÉS

Dépôt légal – 4ᵉ trimestre 2003
Bibliothèque nationale du Québec
Bibliothèque nationale du Canada

ISBN 2-89471-217-0
Imprimé et relié au Québec

PRÉSIDENT
Denis Pelletier

DIRECTEUR GÉNÉRAL ET ÉDITEUR ADJOINT
Martin Rochette

2825, chemin des Quatre-Bourgeois,
C.P. 9425
Sainte-Foy (Québec) G1V 4B8
Téléphone: (418) 658-7272
Sans frais: 1 800 361-7755
Télécopieur: (418) 652-0986

Ce logo a pour objet d'alerter le lecteur sur la menace que représente pour l'avenir de l'écrit le développement massif du «photocopillage». La *Loi sur le droit d'auteur* interdit la reproduction des oeuvres sans autorisation des titulaires de droits.Or, la photocopie non autorisée – le «photocopillage» – s'est généralisée, provoquant une baisse des achats de livres, au point que la possibilité même pour les auteurs de créer des oeuvres nouvelles et de les faire éditer par des professionnels est menacée.Nous rappelons donc que toute reproduction, partielle ou totale, du présent ouvrage est interdite sans l'autorisation écrite de l'éditeur ou d'une société de gestion dûment mandatée.

C'est en 1981 que j'ai commencé à faire la chasse aux anglicismes. Pendant les années qui ont suivi, je me suis attardé à relever non seulement les anglicismes mais également les impropriétés de toutes sortes que mes élèves et souvent moi-même employions quotidiennement. Ensemble, nous faisions des efforts pour les chasser de notre vocabulaire. Plus tard, soit en 1996, l'un d'eux m'a suggéré de publier cette liste qui, à ce moment, ne comptait que 600 mots.

L'année suivante était publiée la première édition dans laquelle se trouvaient les 800 expressions les plus malmenées. Puis, sachant que ces termes incorrects étaient légion et voyant que le recueil connaissait passablement de succès, j'ai entrepris la deuxième édition, regroupant 1100 termes à éviter et qui a paru en l'an 2000; plus de 50 000 exemplaires des deux éditions ont été imprimés.

Toujours pour les mêmes raisons, en cette année 2003 paraît la troisième édition de *Mieux dire, mieux écrire*, réunissant 1500 impropriétés. Cette dernière mouture se divise en trois parties. La première est constituée des 1500 impropriétés classées par ordre alphabétique et les expressions sont regroupées sous un mot clé afin de faciliter le repérage; la deuxième, d'un test de révision; la troisième, d'expressions malmenées par les journalistes, le personnel de bureau, le personnel enseignant et les élèves.

Ce recueil constitue l'un des moyens que j'ai pris pour améliorer la qualité du français au Québec, mission que je m'étais donnée au moment où j'ai pris ma retraite de l'enseignement.

Mon rêve? Que mon ouvrage n'ait plus sa raison d'être. Pour l'instant, je travaille à la quatrième édition.

En terminant, je tiens à remercier Mme Marie-Éva de Villers, auteure du *Multidictionnaire de la langue française*, ouvrage sans lequel ce recueil n'aurait jamais vu le jour.

Yvon Delisle

Inlassablement, Yvon Delisle – véritable missionnaire de la langue française – a poursuivi ses recherches pour réunir dans la troisième édition de son recueil davantage de pièges linguistiques, des pièges qui, pour la plupart, nous sont propres. C'est dire combien sa quête nous est précieuse.

À la lecture des erreurs fréquentes qu'il a relevées, force est de constater que bien des impropriétés recensées découlent d'interférences entre la langue française et la langue anglaise. Alors que les emprunts de mots à l'anglais sont assez peu fréquents dans ce recueil, les emprunts de sens (faux amis) et les emprunts de construction (calques) à l'anglais sont relativement nombreux. En quoi ces anglicismes sont-ils particuliers? Ils se distinguent par le fait qu'ils sont involontaires. En les dénonçant, Yvon Delisle contribuera donc à leur réduction, voire à leur disparition. C'est ce que nous souhaitons, du moins.

Il est important de rappeler qu'à la suite de la conquête de l'Angleterre au XIᵉ siècle par Guillaume de Normandie, dit Guillaume 1ᵉʳ le Conquérant, la langue de la monarchie, de l'administration et du pouvoir devint celle des conquérants normands, c'est-à-dire une variété d'ancien français. En raison de cela, la langue anglaise s'est enrichie d'un très grand nombre de mots français. Près de la moitié du vocabulaire anglais actuel est composé de mots d'origine française ou de mots latins qui ont conservé une orthographe qui est identique ou semblable à celle des mots français. Au fil des siècles, ces mots ont évolué parallèlement dans les deux langues, mais ils n'ont pas toujours les mêmes sens. Ces homonymes ou ces paronymes trompent notre vigilance et, à notre insu, nous employons parfois un mot français dans un sens qu'il n'a pas, sous l'influence d'un mot anglais de forme semblable.

Yvon Delisle a le grand mérite d'attirer notre attention sur les difficultés de divers types, de signaler les impropriétés, commises le plus souvent involontairement, et de suggérer les expressions françaises à leur substituer. La présentation des formes fautives – classées par ordre alphabétique – simplifie la consultation et donne accès très rapidement aux renseignements recherchés. Par la publication de ce recueil qu'il enrichit constamment, Yvon Delisle fait œuvre utile puisqu'il nous permet de décider, en toute connaissance de cause, des mots et des expressions qui conviennent le mieux aux diverses situations de communication, dans le respect de la langue française.

Marie-Éva de Villers

Chaque forme incorrecte est suivie d'une lettre indiquant le type d'erreur commis lorsque le terme en question est employé.

Voici le terme correspondant à chaque lettre, accompagné de sa définition.

A = Anglicisme : Mot, expression, construction, orthographe propre à la langue anglaise.
Ex. : *Breuvage* au sens de *boisson*

B = Barbarisme : Erreur de langage par altération de mot, par modification de sens.
Ex. : *Rénumération* au lieu de *rémunération*

C = Calque de l'anglais : Traduction littérale d'une expression anglaise.
Ex. : *Le chat est sorti du sac* au lieu de *on a découvert le pot aux roses*

D = Divers : Erreur d'orthographe, de conjugaison, de prononciation ou de toute autre forme, qui n'a pas été regroupée.
Ex. : *Un moustiquaire* au lieu de *une moustiquaire*

I = Impropriété : Emploi incorrect d'un mot, d'une expression.
Ex. : *S'endormir* impropriété pour *avoir sommeil*

M = Marque de commerce : Nom qu'un commerçant ou un fabricant utilise pour appeler son produit.
Ex. : *Pagette* au lieu de *téléavertisseur*

P = Pléonasme : Répétition inutile de mots qui ont le même sens.
Ex. : *Monter en haut* au lieu de *monter*

S = Solécisme : Erreur dans la construction syntaxique d'une phrase.
Ex. : *Ce que j'ai besoin* au lieu de *ce dont j'ai besoin*

V = Emploi vieilli (archaïsme) : Mot, sens, construction qui n'est plus en usage.
Ex. : *À cause que* au lieu de *parce que*

A

A Anglicisme   **B** Barbarisme   **C** Calque de l'anglais   **D** Divers   **I** Impropriété
M Marque de commerce   **P** Pléonasme   **S** Solécisme   **V** Emploi vieilli

Incorrect		Correct

À

À :	**A**	*Destinataire :*
la chambre à ma sœur	**S**	*la chambre de ma sœur*
demeurer au lac Beauport	**S**	*demeurer à Lac-Beauport*
aller au cap de la Madeleine	**S**	*aller à Cap-de-la-Madeleine*

À + EXPRESSION DE PÉRIODICITÉ

à tous les jours	**D**	*tous les jours*
à toutes les semaines	**D**	*toutes les semaines*
aux quatre heures	**D**	*toutes les quatre heures*

ABORD

à prime abord	**I**	*de prime abord, au premier abord*

ABOYER

Un petit chien aboie.	**I**	*Un petit chien jappe.*

ABREUVOIR

Les écoliers sont près de l'abreuvoir.	**I**	*Les écoliers sont près de la fontaine.*

ABRÉVIER

abrévier un mot	**V**	*abréger un mot*

ACADÉMIQUE

année académique	**C**	*année scolaire, universitaire*

ACCAPARER

Il s'en est accaparé.	**S**	*Il l'a accaparé.*

ACCOMMODER

accommoder plusieurs clients	**A**	*accueillir plusieurs clients*
accommoder quelqu'un	**A**	*aider, rendre service à quelqu'un*

ACCROCHER

accrocher un objet sur le mur	**A**	*accrocher un objet au mur*

ACÉTATE

projeter des acétates	**I**	*projeter des transparents*

ACOUSTIQUE

acoustique du téléphone	**I**	*combiné du téléphone*

ACQUIS

par acquis de conscience	**D**	par acquit de conscience
prendre pour acquis	**C**	tenir pour acquis

ADAPTEUR

un adapteur pour prises électriques	**A**	un adaptateur pour prises électriques

ADMISSION

L'admission est gratuite.	**A**	L'entrée est gratuite.
Le prix d'admission est de 5 $.	**A**	L'entrée, le prix d'entrée est de 5 $.
pas d'admission	**C**	entrée interdite, défense d'entrer
pas d'admission sans affaires	**C**	entrée interdite sans autorisation

ADRESSE

M. Martin Delisle 10 340 est Laurier Ste-Foy, QC G1T-4S2	**D**	Monsieur Martin Delisle 10340, boulevard Laurier Est Sainte-Foy (Québec) G1T 4S2

ADRESSER

adresser un problème, une question	**C**	traiter, aborder un problème, une question

AFFAIRES

être d'affaires	**C**	avoir le sens des affaires
être en affaires	**C**	être dans les affaires, faire des affaires
faire affaires au Québec	**I**	être établi au Québec
heures d'affaires	**C**	heures d'ouverture
place d'affaires	**C**	établissement, siège social
voyager par affaires	**C**	voyager pour affaires

AFFECTER

Cette taxe nous affecte.	**A**	Cette taxe nous touche.
Cela affecte ses résultats scolaires.	**A**	Cela nuit à ses résultats scolaires.

AFFIDAVIT

faire un affidavit	**A**	faire une déclaration sous serment

AFFILER

affiler un crayon	**I**	tailler un crayon

ÂGÉ

Elles sont âgées entre 20 et 30 ans.	**C**	Elles sont âgées de 20 à 30 ans.

AGENDA

l'agenda de la réunion	**A**	l'ordre du jour de la réunion

AGRESSIF

un vendeur agressif	**A**	un bon vendeur, un vendeur dynamique

8

AIDER		
Elle leur aidera en semaine.	**V**	*Elle les aidera en semaine.*
AIGUISE-CRAYON		
un aiguise-crayon neuf	**V**	*un taille-crayon neuf*
AIGUISER		
aiguiser un crayon	**I**	*tailler un crayon*
AJUSTEMENT		
ajustement des salaires	**I**	*rajustement, réajustement des salaires*
AJUSTEUR		
ajusteur d'assurance	**A**	*expert en sinistres*
ALCOOL		
prononcé « alcool »	**A**	*prononcé « alcol »*
ALIGNEMENT		
alignement des roues	**A**	*parallélisme des roues*
ALIGNER		
aligner une chose avec une autre	**C**	*aligner une chose sur une autre*
ALL DRESSED		
une pizza all dressed	**A**	*une pizza garnie*
ALLER		
aller en appel	**C**	*en appeler, faire appel*
aller en élections	**I**	*déclencher des élections*
aller en grève	**C**	*faire la grève*
aller sous presse	**C**	*mettre sous presse*
ALTERNATIVE		
avoir deux alternatives	**A**	*avoir deux possibilités*
A.M.		
réunion à 8 h a.m.	**A**	*réunion à 8 h, 8 h du matin*
AMÉLIORATION		
Il y a place pour amélioration.	**C**	*Cela pourrait être mieux, cela laisse à désirer.*
AMENER		
amener ses patins à l'école	**I**	*apporter ses patins à l'école*
AMI		
ami de garçon, amie de fille	**C**	*ami, amie*
AMOUR		
être, tomber en amour avec quelqu'un	**C**	*être, tomber amoureux de quelqu'un*
ANNÉE		
à l'année longue	**C**	*à longueur d'année, toute l'année*
année fiscale	**C**	*exercice financier*

ANTIDÉMARREUR		
un antidémarreur	**I**	un antidémarrage, un système d'antidémarrage

ANXIEUX		
être anxieux de revoir quelqu'un	**C**	désirer vivement, avoir hâte de revoir quelqu'un

AOÛT		
prononcé « a-ou »	**D**	prononcé « ou »

APPARTEMENT		
apt., #	**A**	app.
logement de trois appartements	**I**	logement de trois pièces

APPEL		
appel conférence	**C**	conférence téléphonique
loger, placer un appel téléphonique	**A**	appeler, faire un appel téléphonique
retourner un appel	**C**	rappeler

APPELER		
appeler une pénalité	**A**	imposer une pénalité
appeler une réunion	**A**	convoquer une réunion

APPLICATION		
faire application	**C**	faire une demande d'emploi
formule d'application	**C**	formule de demande d'emploi

APPOINTEMENT		
avoir un appointement à 13 h 5	**A**	avoir un rendez-vous à 13 h 5

APPORTER		
Apporte-toi des sandwichs.	**D**	Emporte des sandwichs.
Est-ce à apporter?	**I**	Est-ce à emporter?

APPRÉCIER		
apprécier + verbe à l'infinitif	**C**	souhaiter, désirer
apprécier + que	**C**	savoir gré de, souhaiter
apprécier un témoignage	**C**	être touché par, sensible à un témoignage
J'apprécie.	**A**	Je vous en suis reconnaissant.

APRÈS		
être après faire quelque chose	**V**	être en train de faire quelque chose
être en colère après quelqu'un	**S**	être en colère contre quelqu'un
La clé est après la porte.	**S**	La clé est sur la porte.

APRÈS QUE		
… après qu'il m'ait vue. (subjonctif)	**S**	… après qu'il m'a vue, m'eut vue. (indicatif)

ARBORITE		
une table en arborite	**M**	**une table en stratifié, en lamifié**

ARCHE		
arche du pied	**C**	**cambrure du pied**

ARÉOPORT		
l'aréoport Mirabel	**B**	**l'aéroport Mirabel**

ARGENT		
amasser des argents	**V**	**amasser de l'argent, des fonds**

ARGUMENT		
avoir un argument avec un ami	**A**	**avoir une dispute, une discussion avec un ami**

ARRÊT		
mettre sous arrêt	**C**	**mettre en état d'arrestation, arrêter**

ARRIVER		
Qu'est-ce qui arrive avec elle?	**C**	**Qu'est-elle devenue?**

ARTICULÉ		
une personne articulée	**A**	**une personne éloquente, qui s'exprime bien**

ASPHALTE		
L'asphalte est chaude.	**D**	**L'asphalte est chaud.**

ASSEMBLÉE		
lever l'assemblée	**I**	**lever la séance**

ASSEOIR		
Assis-toi; assisez-vous.	**I**	**Assieds-toi; asseyez-vous.**

ASSIETTE		
assiette froide	**C**	**assiette anglaise, viandes froides**

ASSIGNER		
assigner un employé à une tâche	**C**	**affecter un employé à une tâche**

ASSISTANT		
assistant-cuisinier	**A**	**aide-cuisinier**
assistant-directeur	**A**	**directeur adjoint**

ASSUMER		
J'assume que tu seras présente.	**A**	**Je tiens pour acquis que tu seras présente.**

ASSURANCE		
assurance-santé	**C**	**assurance(-)maladie**

ASSURER (s') + SUBJONCTIF		
Assure-toi que tout soit en ordre.	**S**	**Assure-toi que tout sera en ordre.**

ASTÉRIX		
Le mot est précédé d'un astérix.	**D**	**Le mot est précédé d'un astérisque.**

ASTRONAUTE		
rime avec « note »	**D**	rime avec « hôte »

ATTACHÉ		
fichier attaché	**A**	fichier joint

ATTENDRE		
Noémie s'attend de vivre là.	**S**	Noémie s'attend à vivre là.
Je ne m'en attendais pas.	**S**	Je ne m'y attendais pas.

ATTENTE		
répondre aux attentes de quelqu'un	**I**	répondre à l'attente de quelqu'un

ATTENTION		
une faute d'attention	**I**	une faute d'inattention

AUCUN		
aucun frais, aucune funérailles	**D**	aucuns frais, aucunes funérailles

AUGMENTER		
L'essence a augmenté.	**I**	Le prix de l'essence a augmenté.

AUSSI		
pour aussi peu que 20 $	**C**	pour seulement 20 $

AUTANT		
en autant que	**C**	pourvu que, dans la mesure où
en autant que je suis concerné	**C**	en ce qui me concerne

AUTISTIQUE		
une enfant autistique	**I**	une enfant autiste

AUTOBUS		
faire un voyage en autobus	**I**	faire un voyage en autocar
la 24	**D**	le 24

AUTRE + ADJECTIF NUMÉRAL		
pendant un autre deux ans	**A**	pendant deux autres années
verser un autre 500 $	**A**	verser 500 $ supplémentaires

AVENIR		
Elle a un bel avenir devant elle.	**P**	Elle a un bel avenir.

AVENUE		
112, ave. Laurier	**A**	112, av. Laurier

AVÉRER		
L'information s'est avérée fausse.	**I**	L'information s'est révélée fausse.
L'information s'est avérée vraie.	**P**	L'information s'est avérée exacte.

AVISEUR		
aviseur légal	**C**	conseiller juridique
comité aviseur	**C**	comité consultatif

B

Incorrect   Correct

BACHELOR		
demeurer dans un bachelor	**A**	demeurer dans un studio
BACK ORDER, B.O.		
un article back order	**A**	un article en souffrance, en retard
BACKBENCHER		
être un backbencher	**A**	être un simple député
BACKGROUND		
Quel est ton background?	**A**	Quelle formation as-tu?
BADGE		
une badge	**D**	un badge
BAIN-TOURBILLON		
plonger dans le bain-tourbillon	**C**	plonger dans la baignoire à remous
BALANCE		
s'occuper de la balance	**A**	s'occuper du reste
balance d'un compte	**C**	solde d'un compte
balance d'une commande	**C**	reste d'une commande
BALANCEMENT		
le balancement des roues	**A**	l'équilibrage des roues
BALAYEUSE		
passer la balayeuse	**I**	passer l'aspirateur
BANC		
utiliser un banc de scie	**C**	utiliser un plateau de sciage
jugement rendu sur le banc	**A**	jugement rendu sans délibéré
BAND		
être accompagné par un band	**A**	être accompagné par un ensemble, une formation, des musiciens
BANQUE		
une banque pleine d'argent	**A**	une tirelire pleine d'argent
BANQUEROUTE		
une banqueroute frauduleuse	**P**	une banqueroute

B
13

BAR

bar à salades	C	buffet de salades, comptoir à salades

BARBIER

aller chez le barbier	V	aller chez le coiffeur

BARRER

barrer la porte	I	verrouiller la porte, fermer la porte à clé

BAS

Jérémie porte des bas à carreaux.	I	Jérémie porte des chaussettes à carreaux.

BATEAU

être dans le même bateau	C	être dans la même galère

BATTERIE

la batterie d'une montre	A	la pile d'une montre

BAY WINDOW

remplacer une bay window	A	remplacer une fenêtre arquée, en baie

BEAT

suivre le beat	A	suivre le rythme, le tempo

BED AND BREAKFAST

réserver un bed and breakfast	A	réserver un gîte touristique

BELLBOY

le bellboy de l'hôtel	A	le chasseur de l'hôtel
se procurer un bellboy	M	se procurer un téléavertisseur

BÉNÉFICE

les bénéfices marginaux	C	les avantages sociaux

BÉNÉFICIER

Cette mesure bénéficiera à tous.	I	Cette mesure profitera à tous.

BESOIN

J'en ai de besoin.	V	J'en ai besoin.
Voici ce que j'ai de besoin.	S	Voici ce dont j'ai besoin.

BIAISÉ

des personnes biaisées	A	des personnes partiales, ayant des préjugés
rapport biaisé	A	rapport déformé, faussé

BIANNUEL

une cérémonie biannuelle	B	une cérémonie bisannuelle

BICYCLE

un bicycle neuf	A	une bicyclette neuve

BIEN

Bien à vous **C** *Veuillez agréer, Madame, Monsieur, mes salutations distinguées.*

BIENVENUE

Merci! Bienvenue! **A** *Merci! Il n'y a pas de quoi! De rien! Je vous en prie!*

BILLET

billet de saison **C** *abonnement*

BLANC

blanc de chèque **C** *(formule de) chèque*

blanc de mémoire **C** *trou de mémoire*

BLENDER

verser dans le blender **A** *verser dans le mélangeur*

BLEU

avoir les bleus **C** *avoir le cafard, broyer du noir, être déprimé*

BLOC

bloc appartements **C** *immeuble résidentiel, d'habitation*

Faisons le tour du bloc. **A** *Faisons le tour du pâté de maisons.*

J'habite à deux blocs d'ici. **A** *J'habite à deux rues d'ici.*

BLOCK HEATER

le block heater de la voiture **A** *le chauffe-moteur de la voiture*

BLOOPER

les bloopers du gala **A** *les gaffes du gala*

BOÎTE

boîte à fleurs **C** *jardinière*

boîte à malle **A** *boîte aux lettres*

boîte de scrutin **C** *urne*

boîte de son **C** *enceinte acoustique*

boîte des témoins **C** *barre des témoins*

boîte d'un camion **C** *caisse d'un camion*

boîte téléphonique **C** *cabine téléphonique*

BOL

bol de toilettes **C** *cuvette*

BON + ADJECTIF NUMÉRAL

pendant un bon dix minutes **A** *pendant dix bonnes minutes, une bonne dizaine de minutes*

BONBONNE

bonbonne d'oxygène **I** *bouteille d'oxygène*

BONUS

recevoir un bonus | **A** | recevoir un boni, une prime

BOOSTER

appeler pour se faire booster | **A** | appeler pour faire ranimer sa voiture, pour un démarrage-secours

booster une batterie | **A** | ranimer une batterie

câbles à booster | **A** | câbles de démarrage

BORD

de bord en bord | **I** | de part en part, d'un côté à l'autre

BOSS

un bon boss | **A** | un bon patron

BOSSÉ

une voiture bossée | **B** | une voiture bosselée

BOSSER

chercher à bosser | **A** | chercher à commander, à diriger

BOUCLE

une boucle colorée | **A** | un nœud papillon coloré

BOUILLIR

L'eau bouille. | **D** | L'eau bout.

BOULE

des boules à mites | **C** | de la naphtaline

BOULEVARD

blvd. | **A** | boul., bd, b^d

BOUNCER

Il est le bouncer du cabaret. | **A** | Il est le videur du cabaret.

BOURRASQUE

bourrasque de vent | **P** | bourrasque

BOURRÉ

être bourré de remords | **I** | être bourrelé de remords

BOURSE

bourse remplie d'objets | **I** | sac à main rempli d'objets

BOUT

en bout de ligne | **I** | en fin de compte, tout compte fait

BOXING DAY

le Boxing Day | **C** | les soldes d'après Noël, l'Après-Noël

BOYAU

boyau d'arrosage | **V** | tuyau d'arrosage

BRAINSTORMING
faire un brainstorming **A** faire un remue-méninges

BRANCHE
les branches d'une société **A** les succursales d'une société

BRASSIÈRE
une brassière de dentelle **A** un soutien-gorge de dentelle

BREAK
l'heure du break **A** l'heure de la pause

BREAKER
mettre en marche le breaker **A** mettre en marche le disjoncteur

BREUVAGE
breuvage au menu **A** boisson au menu
Vous désirez un breuvage? **A** Vous désirez boire quelque chose?

BRIEFING
faire un briefing **A** faire un breffage, un exposé, une synthèse

BRIN
brin de scie **I** bran de scie, sciure de bois

BRIQUELEUR
Le briqueleur briquelle. **I** Le briqueteur briquette.

BRIS
bris de contrat **C** rupture de contrat
bris d'égalité (au tennis) **C** jeu décisif
bris d'inventaire **C** rupture de stock

BRISER
briser un record **A** battre, pulvériser un record

BROCHE
des broches de bureau **I** des agrafes de bureau

BROCHEUSE
la brocheuse du secrétaire **I** l'agrafeuse du secrétaire

BROUE
la broue d'une bière **V** la mousse d'une bière

BRU
une gentille bru **V** une gentille belle-fille

BRÛLÉ
être brûlé **I** être épuisé

BRÛLEMENT
brûlement d'estomac **V** brûlure d'estomac

BS			
recevoir du BS	**A**	*recevoir de l'aide sociale*	
vivre sur le BS	**A**	*vivre de l'aide sociale*	
BUMPING			
le bumping d'une collègue	**A**	*la supplantation d'une collègue*	
BUNGALOW			
acheter un bungalow	**A**	*acheter une maison individuelle*	
BUREAU			
bureau-chef	**C**	*siège social*	
bureau des directeurs	**C**	*conseil d'administration*	
bureau de votation	**C**	*bureau de vote, de scrutin*	
BURNOUT			
faire un burnout	**A**	*souffrir d'épuisement professionnel*	
BUSINESS TO BUSINESS			
B2B	**A**	*commerce interentreprises*	

C

18

A Anglicisme   **B** Barbarisme   **C** Calque de l'anglais   **D** Divers   **I** Impropriété
M Marque de commerce   **P** Pléonasme   **S** Solécisme   **V** Emploi vieilli

Incorrect		Correct	
ÇA			
ça doit être	**S**	*ce doit être, ce doivent être*	
Ça l'a été une belle soirée.	**S**	*Ça a été, ç'a été une belle soirée.*	
CABARET			
cabaret à fromages	**I**	*plateau à fromages*	
CACHOU			
une boîte de cachous	**A**	*une boîte de cajous*	
CADRAN			
Mon cadran n'a pas sonné.	**I**	*Mon réveil n'a pas sonné.*	
CAGE			
cage à homards	**I**	*casier à homards*	
CAISSE			
caisse de son	**C**	*enceinte acoustique*	
CALENDRIER			
année de calendrier	**C**	*année civile*	

CAMÉRA

photo prise avec une caméra	**A**	photo prise avec un appareil photo

CAMERAMAN

engager un cameraman	**A**	engager un cadreur

CAMION-REMORQUE

conduire un camion-remorque	**I**	conduire un tracteur semi-remorque

CAMPER

posséder un camper	**A**	posséder une autocaravane

CAMPUS

prononcé « camm-pus »	**D**	prononcé « can-pus »
campus universitaire	**P**	campus

CANAL

changer de canal	**A**	changer de chaîne
canal chat	**C**	canal, forum de bavardage

CANCELLER

canceller un rendez-vous	**A**	annuler un rendez-vous
canceller un contrat	**A**	résilier un contrat

CANNAGE

le temps du cannage	**A**	le temps de la mise en conserve
Les cannages sont prêts.	**A**	Les boîtes de conserve sont prêtes.

CANNE

des cannes de conserve	**A**	des boîtes de conserve, des canettes

CANTALOUP

rime avec « loupe »	**D**	rime avec « loup »

CAP

cap de roue	**A**	enjoliveur

CAPACITÉ

salle remplie à capacité	**C**	salle bondée, pleine à craquer

CAR

car en effet	**P**	car ou en effet

CARPORT

garer sa voiture dans le carport	**A**	garer sa voiture dans l'abri d'auto

CARREAUTÉ

une chemise carreautée	**I**	une chemise à carreaux

CARROSSE

L'enfant pousse son carrosse.	**I**	L'enfant pousse son landau.

CART

louer un cart	**A**	louer une voiturette

CARTABLE

un cartable rempli de feuilles	**I**	une reliure, un cahier à anneaux rempli de feuilles

CARTE

carte d'affaires	**C**	carte professionnelle
carte de compétence	**C**	certificat de qualification
carte d'identification	**C**	carte d'identité
mettre quelqu'un sur la carte	**C**	faire connaître quelqu'un, mettre quelqu'un en vedette
pointer sa carte de temps	**C**	pointer sa fiche de présence
quatre cartes pareilles	**C**	carré
trois cartes pareilles	**C**	brelan

CARTON

carton d'allumettes	**A**	pochette d'allumettes
carton de cigarettes	**A**	cartouche de cigarettes

CASERNE

caserne de pompiers	**V**	poste de pompiers

CASH

l'argent du cash	**A**	l'argent de la caisse
payer cash	**A**	payer comptant, en espèces, en liquide

20

CASHEW

manger des cashews	**A**	manger des cajous

CASIER POSTAL

un numéro de casier postal	**I**	un numéro de case postale

CASQUE

casque de bain	**I**	bonnet de bain

CASSÉ

être cassé	**A**	être sans le sou, fauché, à sec

CASTING

le casting du film	**A**	la distribution du film

CAUSE

à cause de son aide, j'ai réussi	**I**	grâce à son aide, j'ai réussi
à cause que	**V**	parce que

CE

C'est des pommes.	**D**	Ce sont des pommes.

CÉDULE

prévoir à la cédule	**A**	prévoir au calendrier, à l'horaire, au programme

CÉDULER

céduler une réunion	**A**	prévoir une réunion, fixer une réunion à l'horaire

CENNE		
une tirelire pleine de cennes	**I**	*une tirelire pleine de cents*
CENT (ADJECTIF NUMÉRAL)		
cent(z)élèves	**D**	*cent(t)élèves*
CENT (PIÈCE DE MONNAIE)		
25 cents (prononcé « sènts »)	**A**	*25 cents (prononcé « sènt »)*
CENTRE		
centre d'achats	**C**	*centre commercial*
CERTIFICAT		
certificat-cadeau	**C**	*chèque-cadeau*
certificat de naissance	**I**	*acte de naissance, extrait de naissance*
CHAIN SAW		
utiliser une chain saw	**A**	*utiliser une scie à chaîne*
CHAISE		
des chaises roulantes	**I**	*des fauteuils roulants*
CHAMBRE		
chambre de bains	**C**	*salle de bain(s)*
chambre des joueurs	**C**	*vestiaire*
chambre des maîtres	**C**	*chambre principale*
CHAMPLURE		
fermer la champlure	**V**	*fermer le robinet*
CHANCE		
courir la chance de perdre son argent	**I**	*courir le risque de perdre son argent*
CHANDELLE		
souffler les chandelles	**V**	*souffler les bougies*
CHANGE		
Du change, svp!	**A**	*De la monnaie, svp!*
CHANGEMENT		
changement d'huile	**C**	*vidange d'huile*
changement pour le mieux	**C**	*amélioration, changement en mieux*
CHANGER		
changer pour le mieux	**C**	*s'améliorer, changer en mieux*
changer un billet de 50 $	**A**	*demander la monnaie d'un billet de 50 $*
changer un chèque	**A**	*encaisser un chèque*
CHANSON		
chanson thème	**C**	*indicatif musical*
pour une chanson	**C**	*pour une bouchée de pain*

C

CHAQUE

à chaque année	**V**	*chaque année*
à chaque fois	**V**	*chaque fois*
Ces livres coûtent 10 $ chaque.	**A**	*Ces livres coûtent 10 $ chacun.*
chaque deux jours	**S**	*tous les deux jours*

CHAR

acheter un nouveau char	**I**	*acheter une nouvelle voiture*

CHARGE

appel à charges renversées	**C**	*appel à frais virés*
charge additionnelle	**C**	*supplément (à payer)*
être en charge	**C**	*être responsable*

CHARGER

Le taux d'intérêt chargé est de 12 %.	**A**	*Le taux d'intérêt exigé est de 12 %.*
Chargez-le à mon compte.	**A**	*Portez-le à mon compte.*
Chargez-vous la taxe?	**A**	*Faites-vous payer la taxe?*
Charger 100 $ pour un travail	**A**	*Demander 100 $ pour un travail*

CHARRUE

La charrue déblaie la rue.	**I**	*Le chasse-neige déblaie la rue.*

CHAT

Le chat est sorti du sac.	**C**	*On a découvert le pot aux roses.*

22

CHAT

faire du chat	**A**	*faire du bavardage, du clavardage*

CHAUFFER

chauffer une voiture	**V**	*conduire une voiture*

CHAUFFEUR

un chauffeur de voiture	**V**	*un conducteur de voiture*

CHEAP

un produit cheap	**A**	*un produit bon marché*

CHECKER

checker le travail fait	**A**	*contrôler, observer, regarder, vérifier le travail fait*

CHECK-UP

J'ai besoin d'un check-up.	**A**	*J'ai besoin d'un examen général.*
Ma voiture a besoin d'un check-up.	**A**	*Ma voiture a besoin d'une inspection.*

CHEERLEADER

Laurence est une cheerleader.	**A**	*Laurence est une meneuse de claque.*

CHEF

chef de pupitre	**I**	*secrétaire de rédaction*

CHEFFERIE		
course à la chefferie	**I**	course à la direction d'un parti politique

CHÈQUE		
arrêter un chèque	**C**	faire opposition, s'opposer à un chèque
blanc de chèque	**C**	(formule de) chèque
chèque n. s. f., sans fonds	**C**	chèque sans provision

CHERCHER		
chercher de midi à quatorze heures	**D**	chercher midi à quatorze heures

CHIFFRE		
chiffre des ventes	**C**	chiffre d'affaires
être sur le chiffre de jour	**A**	travailler de jour
le chiffre de nuit	**A**	l'équipe, le quart, le poste de nuit

CHUM		
avoir des chums	**A**	avoir des copains, des amis

CHUTE		
Allons aux chutes Montmorency.	**D**	Allons à la chute Montmorency.

CHUTE		
chute à déchets	**C**	vide-ordures

CI-ATTACHÉ		
consulter le fichier ci-attaché	**A**	consulter le fichier ci-joint

CI-BAS		
voir l'illustration ci-bas	**I**	voir l'illustration ci-dessous

CI-HAUT		
voir l'illustration ci-haut	**I**	voir l'illustration ci-dessus

CIRCULAIRE		
la circulaire du supermarché	**I**	le cahier publicitaire du supermarché

CIRER		
cirer des skis	**A**	farter des skis

CIRRHOSE		
cirrhose du foie	**P**	cirrhose

CIVIQUE		
Quel est ton numéro civique?	**I**	Quel est ton numéro?

CLAIR		
gagner 400 $ clair	**A**	gagner 400 $ net

CLAIRER		
clairer une dette	**A**	acquitter, rembourser une dette
clairer une personne	**A**	congédier, licencier une personne

CLAM CHOWDER

déguster un clam chowder   **C**   déguster une chaudrée de palourdes

CLASSER

classer en ordre alphabétique   **S**   classer par, dans l'ordre alphabétique

CLAUSE

clauses monétaires   **I**   clauses salariales

clause nonobstant   **I**   disposition de dérogation

clause orphelin   **C**   clause de disparité (de traitement)

CLÉ

clé maîtresse   **C**   passe-partout

CLÉRICAL

personnel clérical   **A**   personnel de bureau

CLIMATISÉ

installer l'air climatisé   **I**   installer un climatiseur

CLINIQUE

clinique de donneurs de sang   **C**   collecte de sang

clinique externe   **C**   consultations externes

clinique de golf   **A**   cours pratique de golf

CLOCHE

être couvert de cloches   **I**   être couvert de cloques

CLUTCH

appuyer sur la clutch   **A**   appuyer sur la pédale d'embrayage

COACH

la coach de notre équipe   **A**   l'entraîneuse de notre équipe

le coach de nos employées   **A**   l'accompagnateur de nos employées

COACHING

coaching   **A**   cours préparatoire (théorie), assistance professionnelle (stage pratique)

COCONUT

ajouter le coconut   **A**   ajouter la noix de coco

COD

un envoi COD   **A**   un envoi contre remboursement

CODE

code d'éthique   **C**   code de déontologie

code régional   **C**   indicatif régional

COFFEE BREAK

C'est l'heure du coffee break.   **A**   C'est l'heure de la pause(-)café, de la pause.

COFFRE		
coffre à gants	**C**	boîte à gants

COFFRET		
coffret de sûreté	**C**	coffre bancaire

COLORER		
album à colorer	**I**	album à colorier

COMBLER		
combler un poste	**C**	pourvoir (à) un poste

COMITÉ		
comité aviseur	**C**	comité consultatif
comité conjoint	**C**	comité paritaire, mixte
être, siéger sur un comité	**C**	être membre, faire partie d'un comité

COMME		
comme par exemple	**P**	comme ou par exemple

COMMENCER		
Commençons avec les enfants.	**D**	Commençons par les enfants.

COMMERCIAL		
un commercial percutant	**A**	un message publicitaire percutant

COMPAGNIE		
compagnie de finance	**C**	société de crédit, de financement

25

COMPENSER		
Ce congé compense pour ton travail.	**D**	Ce congé compense ton travail.

COMPLÉMENT DIRECT		
Faites-moi-le savoir.	**S**	Faites-le-moi savoir.

COMPLÉTER		
compléter un formulaire	**A**	remplir un formulaire
compléter un travail	**A**	effectuer un travail

CONDOMINIUM		
s'acheter un condominium	**A**	s'acheter une copropriété

CONFIANT		
être confiant que	**C**	avoir bon espoir que, être persuadé que

CONFORTABLE		
être confortable avec, au sujet de	**C**	être à l'aise, ne pas s'inquiéter au sujet de
personne confortable	**A**	personne bien, à l'aise

CONFRÈRE		
confrère de classe	**I**	condisciple, compagnon d'études
consœur de travail	**I**	collègue de travail

CONGÉ		
congé férié	**I**	*jour férié*
CONNECTER		
connecter le téléviseur	**A**	*brancher le téléviseur*
CONNEXIONS		
avoir de bonnes connexions	**A**	*avoir de bonnes relations*
CONSERVATEUR		
chiffre conservateur	**A**	*chiffre réaliste, raisonnable*
CONSIDÉRATION		
considérations futures	**A**	*contrepartie financière ultérieure*
pour, sous aucune considération	**C**	*à aucun prix, sous aucun prétexte*
CONSIDÉRER		
Je la considère compétente.	**S**	*Je la considère comme compétente.*
CONTAINER		
louer un container	**A**	*louer un conteneur*
CONTRACTEUR		
un contracteur en construction	**A**	*un entrepreneur en construction*
CONTRAT		
travail à contrat	**C**	*travail à forfait*
CONTREDIRE		
Ne me contredites pas.	**I**	*Ne me contredisez pas.*
CONTRÔLE		
circonstances hors de notre contrôle	**C**	*circonstances indépendantes de notre volonté*
contrôle des naissances	**A**	*limitation, régulation des naissances*
L'incendie est sous contrôle.	**C**	*L'incendie est maîtrisé.*
CONVENTION		
assister à une convention	**A**	*assister à un congrès*
CONVERTIBLE		
rêver d'une convertible	**A**	*rêver d'une décapotable*
COOKIE		
créer un cookie	**A**	*créer un témoin (informatique)*
COPIE		
la copie d'une revue, d'un disque	**A**	*l'exemplaire d'une revue, d'un disque*
CORDIALEMENT		
cordialement vôtre	**C**	*cordialement*
CORDUROY		
pantalon en corduroy	**A**	*pantalon en velours côtelé*

26

CORPORATIF

affaires corporatives	**C**	*affaires de l'entreprise*
bon citoyen corporatif	**C**	*bon citoyen*
client corporatif	**C**	*client commercial*
droit corporatif	**C**	*droit commercial*
image corporative	**C**	*image, image de marque*
nom corporatif	**C**	*raison sociale, nom de société*

CORPORATION

se constituer en corporation	**A**	*se constituer en société*

COSMONAUTE

rime avec « note »	**D**	*rime avec « hôte »*

COTON

du coton à fromage	**C**	*de l'étamine*

COUPABLE

être trouvé coupable	**C**	*être déclaré, reconnu coupable*

COUPER

couper des postes	**A**	*abolir, supprimer des postes*
couper la ligne	**I**	*couper la communication*
couper les dépenses	**A**	*comprimer, réduire les dépenses*
couper les prix	**A**	*réduire les prix, vendre à prix réduit*
pour couper court	**C**	*bref, pour résumer*

27

COUPLE

dans une couple de jours	**V**	*dans à peu près deux jours*

COUPON

coupon-rabais	**C**	*bon de réduction*

COUPURE

coupures budgétaires	**C**	*compressions budgétaires*
coupure de postes	**A**	*abolition, suppression de postes*
d'importantes coupures en santé	**A**	*d'importantes coupes en santé*

COURS

cours collégial	**I**	*études collégiales*
cours primaire	**I**	*études primaires, primaire*
cours privé	**A**	*cours particulier*
cours secondaire	**I**	*études secondaires, secondaire*
cours universitaire	**I**	*études universitaires*
prendre un cours	**C**	*suivre, s'inscrire à un cours*

COURSE

course sous harnais	**C**	*course attelée*

COURTOISIE		
courtoisie de	**C**	*hommage de*
voiture de courtoisie	**C**	*voiture de service, de prêt*

COUTELLERIE		
acheter une coutellerie	**A**	*acheter un service de couverts*

COUVERT		
enlever le couvert	**I**	*enlever le couvercle*
d'un couvert à l'autre	**C**	*en entier, de la première à la dernière page*

COUVERTE		
une couverte de laine	**V**	*une couverture de laine*

CRAQUE		
une craque dans la céramique	**A**	*une fissure dans la céramique*

CRAQUER		
une planche craquée	**A**	*une planche fendillée*

CRASH		
un crash d'avion	**A**	*un écrasement d'avion*

CRATE		
crate de fraises	**A**	*cageot de fraises*

CRAYON		
crayon de plomb	**A**	*crayon à mine*

28

CRÉMAGE		
du crémage sur le gâteau	**I**	*du glaçage sur le gâteau*

CRÈME		
crème à la glace	**I**	*glace, crème glacée*

CRUISE CONTROL		
mettre sur le cruise control	**A**	*utiliser le régulateur de vitesse*

CRUISER		
cruiser une fille	**A**	*draguer une fille*

CUBE		
cube de glace	**C**	*glaçon*

CUEILLETTE		
cueillette de données	**I**	*collecte de données*
cueillette des ordures	**I**	*enlèvement des ordures*

CUTE		
une fille cute	**A**	*une fille mignonne, jolie*

D

A Anglicisme   **B** Barbarisme   **C** Calque de l'anglais   **D** Divers   **I** Impropriété
M Marque de commerce   **P** Pléonasme   **S** Solécisme   **V** Emploi vieilli

Incorrect		Correct
DACTYLO		
une dactylo neuve	**I**	*une machine à écrire neuve*
DARD		
jeu de dards	**A**	*jeu de fléchettes*
DATE		
à date	**C**	*jusqu'à maintenant, jusqu'à présent*
à venir à date	**I**	*jusqu'à maintenant, jusqu'à ce jour*
être, mettre à date	**C**	*être, mettre à jour*
jusqu'à date	**C**	*jusqu'à maintenant, à ce jour*
Ce yogourt est passé date.	**C**	*Ce yogourt est périmé.*
DATE		
2003/03/31; 31-03-2003	**D**	*31 mars 2003*
DE		
De :	**A**	*Expéditeur :*
l'anniversaire de Odette	**D**	*l'anniversaire d'Odette*
l'arrivée de d'autres joueurs	**S**	*l'arrivée d'autres joueurs*
le 10 de mai	**V**	*le 10 mai*
un demi de un pour cent	**A**	*un demi pour cent*
DEADLINE		
respecter le deadline	**A**	*respecter l'heure de tombée*
DEAL		
proposer un deal	**A**	*proposer un accord, un marché*
DEALER		
dealer avec une situation	**A**	*composer avec, faire face à, réagir devant une situation*
DÉBALANCÉ		
régime débalancé	**D**	*régime déséquilibré*
DÉBARRER		
débarrer une porte	**I**	*déverrouiller une porte*

DÉBATTRE		
Son cœur débattait.	**I**	*Son cœur battait fort, palpitait.*
DÉBOSSER		
débosser une voiture	**I**	*débosseler une voiture*
DÉBOURSÉ		
faire un déboursé	**V**	*faire un décaissement, une sortie de fonds*
DEBOUT		
se lever debout	**P**	*se lever*
DÉBUTER		
débuter l'année scolaire	**D**	*commencer l'année scolaire*
DÉCONNECTER		
déconnecter le grille-pain	**A**	*débrancher le grille-pain*
DÉCOUPURE		
découpure (de journal)	**I**	*coupure (de journal)*
DEDANS		
en dedans de 15 minutes	**I**	*d'ici, en moins de 15 minutes*
DÉDUCTIBLE		
déductible de 50 $	**A**	*franchise de 50 $*
DÉFENDANT		
Voici le champion défendant!	**C**	*Voici le champion en titre, le tenant du titre!*
DÉFINITIVEMENT		
avoir définitivement un problème	**A**	*avoir certainement un problème*
DÉFONCER		
défoncer un budget	**I**	*dépasser, excéder un budget*
DÉFRAYER		
défrayer les dépenses de quelqu'un	**C**	*défrayer quelqu'un de ses dépenses*
DÉLAI		
ne tolérer aucun délai	**A**	*ne tolérer aucun retard*
DEMANDE		
produit en demande	**C**	*produit demandé, recherché*
DEMANDER		
demander une question	**C**	*poser une question*
DÉMÉRITE		
points de démérite	**C**	*points d'inaptitude*
DÉMONSTRATEUR		
acheter un démonstrateur	**A**	*acheter une voiture d'essai, un appareil en démonstration*

DÉMOTION		
subir une démotion	**A**	subir une rétrogradation
DENIM		
rime avec « nain »	**D**	rime avec « Nîmes »
DENT		
La loi aura des dents.	**C**	La loi sera impitoyable, assortie de sanctions.
DÉODORANT		
L'endroit sent le déodorant.	**I**	L'endroit sent le désodorisant.
DÉPARTEMENT		
département des finances	**A**	service des finances
département des jouets	**A**	rayon des jouets
DÉPENDANT		
avoir des dépendants	**A**	avoir des personnes à charge
dépendant de	**C**	en fonction de, selon, suivant, d'après
DÉPENSE		
dépenses de voyage	**C**	frais de déplacement
DÉPÔT		
Ce candidat a perdu son dépôt.	**A**	Ce candidat a perdu son cautionnement.
dépôt direct	**C**	virement automatique
verser un dépôt	**A**	verser un acompte
DERNIER		
les dernières cinq heures	**A**	les cinq dernières heures
DESCENDRE		
descendre en bas	**P**	descendre
DÉSODORISANT		
désodorisant pour hommes	**I**	déodorant pour hommes
DÉTOUR		
Un détour est signalé.	**A**	Une déviation est signalée.
DEUXIÈME		
2ième, 2^{ièmes}	**D**	2e, 2^{es}
le deuxième plus grand pays	**C**	le deuxième pays pour sa superficie
DEVANCER		
devancer la date du congé	**I**	avancer la date du congé
DÉVELOPPEMENT		
habiter dans un développement	**A**	habiter dans un nouveau quartier
Aucun développement n'est prévu.	**I**	Aucun changement n'est prévu.

DÉVELOPPER

développer de bonnes relations	**A**	*établir de bonnes relations*
développer un nouveau procédé	**A**	*concevoir un nouveau procédé*
développer un goût pour	**C**	*acquérir le goût de*
développer un talent	**C**	*mettre en valeur son talent*

DEVOIR

| *être en devoir* | **C** | *être en service, de service, de garde* |

DIABLE

| *habiter au diable au vert* | **D** | *habiter au diable vauvert* |

DIFFÉRENCIER

| *différencier le vrai d'avec le faux* | **S** | *différencier le vrai du faux* |

DIGITAL

| *montre digitale* | **A** | *montre numérique* |

DIGITALISER

| *digitaliser une photo* | **A** | *numériser une photo* |

DIMINUER

| *Le lait a diminué.* | **D** | *Le prix du lait a diminué.* |

DIMMER

| *lampe munie d'un dimmer* | **A** | *lampe munie d'un gradateur* |

DÎNER

| *dîner d'État* | **C** | *dîner officiel* |

DIRECTEUR

| *directeur* | **A** | *administrateur* |
| *être directeur d'un C. A.* | **A** | *être membre d'un C. A.* |

DIRECTION

| *bien lire les directions* | **A** | *bien lire le mode d'emploi* |

DISCARTER

| *discarter des cartes* | **A** | *mettre des cartes sur la table* |

DISCONTINUÉ

| *produit discontinué* | **I** | *produit sans suite, qui n'est plus vendu* |

DISPATCHER

| *la dispatcher des ambulanciers* | **A** | *la répartitrice des ambulanciers* |

DISPENDIEUX

| *recueil peu dispendieux* | **I** | *recueil peu cher* |

DISPENSER

| *dispenser des cours* | **I** | *donner des cours* |

DISPONIBLE

| *Ce recueil est disponible partout.* | **A** | *Ce recueil est en vente partout.* |

DISPOSER		
disposer de quelque chose.	**A**	*jeter, se débarrasser de quelque chose.*
disposer d'un adversaire	**A**	*battre, vaincre un adversaire*
disposer d'un problème	**C**	*régler, résoudre un problème*
DISTANCE		
faire un longue distance	**C**	*faire un interurbain*
DISTILLER		
rime avec « briller »	**D**	*rime avec « filer »*
DIVAN		
Le dossier de ce divan est beau.	**I**	*Le dossier de ce canapé est beau.*
DIVORCER		
Ce couple se divorcera bientôt.	**D**	*Ce couple divorcera bientôt.*
DOCTEUR		
Dr., Dr Julie Castilloux	**D**	*Dre, D^re Julie Castilloux*
DOGGY-BAG		
demander un doggy-bag	**A**	*demander un emporte-restes*
DOLLAR		
des dollars US (you ess)	**A**	*des dollars US (américains)*
DOMESTIQUE		
vol domestique	**C**	*vol intérieur*
DOMICILIAIRE		
construction domiciliaire	**I**	*construction de logements*
quartier domiciliaire	**I**	*quartier résidentiel*
DONNER		
Donne-moi-le.	**S**	*Donne-le-moi.*
Donne-moi(z)en.	**D**	*Donne-m'en.*
DONT		
C'est de lui dont je parle.	**S**	*C'est lui dont je parle, de lui que je parle.*
DOUANE		
Cela va passer aux douanes.	**A**	*Cela va passer à la douane.*
DOUBLER		
doubler une classe	**V**	*redoubler une classe*
DRAP		
drap contour	**I**	*drap-housse*
DRASTIQUE		
solution drastique	**A**	*solution draconienne, énergique, radicale*
DRILL		
utiliser une drill	**A**	*utiliser une foreuse, une perceuse*

D

DRIVE		
Quelle belle drive!	**A**	Quel beau coup de départ!

DRIVING RANGE		
driving range	**A**	terrain d'exercice

DROIT		
À qui de droit,	**C**	Mesdames, Messieurs,

DROPOUT		
Ce jeune est un dropout.	**A**	Ce jeune est un décrocheur.

DRUMMER		
le drummer du groupe	**A**	le batteur du groupe

DÛ		
date due	**C**	échéance
dû au mauvais temps…	**C**	en raison, à cause du mauvais temps…
être dû pour des vacances	**C**	avoir besoin de vacances
montant dû le 15 mai	**C**	montant dû pour le 15 mai, à payer avant le 15 mai

DUMP		
aller à la dump	**A**	aller au dépotoir

DUO-TANG		
Duo-Tang	**M**	reliure à attaches

DF
34

E

A Anglicisme   **B** Barbarisme   **C** Calque de l'anglais   **D** Divers   **I** Impropriété
M Marque de commerce   **P** Pléonasme   **S** Solécisme   **V** Emploi vieilli

Incorrect   Correct

EAU		
être dans l'eau bouillante, chaude	**C**	être dans le pétrin, dans de beaux draps

ÉCALE		
écale d'un œuf	**I**	coquille d'un œuf

ÉCARTER		
Ils se sont écartés.	**V**	Ils se sont égarés, perdus.

ÉCHOUER

échouer un examen	**D**	échouer à un examen

EFFACE

Prête-moi ton efface.	**I**	Prête-moi ta gomme (à effacer).

EFFECTIF

date effective	**C**	date d'entrée en vigueur
effectif le 1er janvier	**A**	en vigueur le 1er janvier

EFFET

une rumeur à l'effet que…	**C**	une rumeur voulant que…, selon laquelle…

ÉGALER

Notre équipe a égalé le score.	**I**	Notre équipe a égalisé le score.

EGG ROLL

manger un egg roll	**A**	manger un pâté impérial

ÉLABORER

Pourriez-vous élaborer?	**A**	Pourriez-vous donner des précisions?

ÉLÉVATEUR

Elle est dans l'élévateur.	**A**	Elle est dans l'ascenseur.

ÉLIGIBLE

être éligible à un concours	**A**	être admissible à un concours

E-MAIL

e-mail	**A**	courriel

EMBARQUER

embarquer dans un véhicule routier	**I**	monter dans un véhicule routier

EMBARRER

embarrer quelqu'un	**V**	enfermer quelqu'un par erreur

ÉMETTRE

émettre un avis, un communiqué	**A**	publier un avis, un communiqué
émettre un passeport, un permis	**A**	délivrer un passeport, un permis
émettre un rapport	**A**	produire un rapport
émettre un reçu	**A**	donner un reçu
émettre un verdict	**A**	rendre un verdict

EMMENER

emmener un lunch	**I**	emporter un lunch

EMPHASE

mettre l'emphase sur l'honnêteté	**C**	mettre l'accent sur l'honnêteté

EMPLOI		
être à l'emploi du CN	**C**	travailler pour le CN
ENCOURIR		
les dépenses encourues	**A**	les dépenses engagées
les pertes encourues	**A**	les pertes subies
ENCRYPTION		
faire de l'encryption	**A**	faire du cryptage, du chiffrement
ENDORMIR		
s'endormir depuis une heure	**I**	avoir sommeil depuis une heure
ENDOS		
écrire à l'endos d'une lettre	**I**	écrire au verso, au dos d'une lettre
signer à l'endos d'un chèque	**I**	signer au dos d'un chèque
ENDOSSER		
endosser quelqu'un	**A**	se porter garant de quelqu'un
endosser une candidature	**A**	appuyer une candidature
endosser une décision	**A**	appuyer, approuver une décision
endosser une opinion	**A**	souscrire, adhérer à une opinion
ENGAGER		
La ligne est engagée.	**A**	La ligne est occupée.
ENLIGNER		
enligner des pupitres	**I**	aligner des pupitres
ENREGISTRÉ		
courrier enregistré	**A**	courrier recommandé
ENREGISTREMENT		
enregistrement (d'un véhicule)	**A**	certificat d'immatriculation
ENREGISTRER		
courrier enregistré	**A**	courrier recommandé
s'enregistrer à l'hôtel	**A**	s'inscrire à l'hôtel
ENREGISTREUSE		
se servir d'une enregistreuse	**I**	se servir d'un magnétophone
ENSUITE		
et puis ensuite	**P**	et puis ou ensuite
ENTERRER		
L'orchestre enterre leur voix.	**I**	L'orchestre couvre leur voix.
EN-TÊTE		
la lettre porte une en-tête	**D**	la lettre porte un en-tête
ENTRAÎNEMENT		
période d'entraînement	**A**	période d'essai, d'apprentissage
ENTRAÎNEURE		
l'entraîneure de basket-ball	**I**	l'entraîneuse de basket-ball

ÉPAULE		
mettre l'épaule à la roue	**C**	mettre la main à la pâte
ÉPICIER		
épicier licencié	**C**	bière, vin et cidre
ÉPOUX		
présenter son épouse, son époux	**I**	présenter sa femme, son mari
ESCOMPTE		
accorder un escompte	**A**	accorder une réduction, un rabais
ESCORTE		
Elle joue le rôle d'escorte.	**A**	Elle joue le rôle d'accompagnatrice.
ESPACE		
espace à louer	**C**	locaux à louer
ESPÈCE		
C'est un espèce d'idiot.	**D**	C'est une espèce d'idiot.
ESS…		
le « e » prononcé « è »	**D**	le « e » prononcé « é »
ESTIMÉ		
demander un estimé	**A**	demander un devis, une évaluation
ET		
Et bien!	**I**	Eh bien!
pluie et/ou bruine	**A**	pluie ou bruine
soixante et deux	**D**	soixante-deux
vêtements & articles de sport	**I**	vêtements et articles de sport
ET CETERA		
etc…, ect.	**D**	etc.
ÉTAMPE		
utiliser une étampe	**A**	utiliser un cachet, un timbre
ÉTAMPER		
étamper un document	**A**	apposer un timbre sur un document
ÉTAT		
l'état de New York	**D**	l'État de New York
ÉTUDIANT		
une étudiante du secondaire	**A**	une élève du secondaire
ÉVÉNEMENT		
à tout événement	**C**	quoi qu'il arrive, peu importe
ÉVENTUELLEMENT		
Éventuellement, il reviendra.	**A**	Plus tard, un jour ou l'autre, il reviendra.

EXCESSIVEMENT		
être excessivement habile	**I**	*être extrêmement habile*

EXÉCUTIF		
l'exécutif de l'association	**A**	*la direction, le bureau de l'association*
secrétaire exécutif	**A**	*secrétaire de direction*
vice-président exécutif	**A**	*vice-président directeur*

EXTENSION		
extension 226	**A**	*poste 226*
profiter d'une extension	**A**	*profiter d'une prolongation*
utiliser une extension	**A**	*utiliser une rallonge*

EXTENSIONNER		
extensionner une période, un délai	**A**	*prolonger une période, un délai*

F

A Anglicisme   **B** Barbarisme   **C** Calque de l'anglais   **D** Divers   **I** Impropriété
M Marque de commerce   **P** Pléonasme   **S** Solécisme   **V** Emploi vieilli

Incorrect Correct

FACE		
face à cette question	**I**	*relativement à cette question*

FACILITÉS		
On a les facilités nécessaires.	**A**	*On a les installations, services nécessaires.*

FACTURE		
La facture, svp. (restaurant)	**I**	*L'addition, svp.*
La facture, svp. (hôtel)	**I**	*La note, svp.*

FACTURER		
facturer quelqu'un pour des biens	**I**	*facturer des biens à quelqu'un*

FAIRE		
faire application	**C**	*postuler un emploi, poser sa candidature*
faire du sens	**C**	*avoir du sens*
faire sa part	**C**	*collaborer, contribuer à*
Le lanceur a bien fait ce soir.	**C**	*Le lanceur a bien joué, a excellé ce soir.*

FAIR-PLAY		
être fair-play	**C**	avoir l'esprit sportif, être franc-jeu
faire preuve de fair-play	**C**	jouer franc-jeu
FAIRWAY		
La balle est sur le fairway.	**A**	La balle est sur l'allée.
FAMILIER		
Il est familier avec ce logiciel.	**C**	Ce logiciel lui est familier.
FAN		
fan d'une artiste	**A**	admirateur, adepte d'une artiste
fan de la chambre	**A**	ventilateur de la chambre
fan de la cuisinière	**A**	hotte de la cuisinière
FAST FOOD		
manger du fast food	**A**	manger de la restauration rapide
FEEDBACK		
donner du feedback	**A**	faire de la rétroaction
FEELING		
J'ai le feeling que...	**A**	J'ai une intuition, le sentiment que...
FELUET		
un garçon feluet	**B**	un garçon fluet
FÊTE		
la fête de ma soeur	**I**	l'anniversaire de ma soeur
FIBRE		
du fibre de verre	**D**	de la fibre de verre
FIER		
se fier sur quelqu'un	**C**	se fier à quelqu'un
FIÈVRE		
fièvre des foins	**C**	rhume des foins
FIGURER		
figurer un surplus	**A**	calculer, estimer, prévoir un surplus
FILAGE		
refaire le filage	**A**	refaire le câblage électrique
FILER		
Elles filent bien.	**A**	Elles vont, se sentent bien.
FILIÈRE		
déplacer la filière	**A**	déplacer le classeur
FIN		
pour (les) fins de	**C**	aux fins de, pour
à toutes fins pratiques	**C**	à vrai dire, en fait, en pratique
À toutes fins utiles, j'accepte.	**I**	Tout compte fait, j'accepte.

F

FINAL		
décision finale	**C**	*décision sans appel, irrévocable*
version finale	**C**	*version définitive*
FINISSANT		
les finissantes de 5ᵉ secondaire	**I**	*les sortantes de 5ᵉ secondaire*
FIXTURE		
acheter une fixture	**A**	*acheter un appareil d'éclairage*
FLANELLETTE		
pyjama de flanellette	**I**	*pyjama de finette, de flanelle de coton*
FLASH-BACK		
faire un flash-back	**A**	*faire une rétrospective*
FLASHER		
mettre son flasher	**A**	*mettre son clignotant*
FLASHLIGHT		
éclairer avec une flashlight	**A**	*éclairer avec une lampe de poche*
FLAT		
réparer un flat	**A**	*réparer une crevaison*
FLOTTE		
une flotte de camions	**I**	*un parc de camions*
FLUSHER		
flusher les toilettes	**A**	*actionner la chasse d'eau*
FOCUS		
mettre le focus sur un point	**A**	*mettre l'accent sur un point*
FOCUSER		
focuser sur le décrochage	**A**	*focaliser, se concentrer sur le décrochage*
FORCE		
La loi est en force.	**C**	*La loi est en vigueur.*
FORGER		
forger une signature	**A**	*contrefaire, imiter une signature*
FORMEL		
obtenir un entretien formel	**A**	*obtenir un entretien officiel*
FOU		
faire un fou de soi	**C**	*se rendre ridicule*
FOUR		
four micro-ondes	**I**	*four à micro-ondes*
FOURNAISE		
fournaise à l'huile	**C**	*chaudière à mazout*
FOURNEAU		
mettre une tarte au fourneau	**V**	*mettre une tarte au four*

FOURSOME

faire partie d'un foursome   **A**   *faire partie d'un quatuor*

FRAIS

frais de condo   **C**   *charges de copropriété*

FRAPPER

La voiture l'a frappé.   **A**   *La voiture l'a heurté, renversé.*

Elle a frappé un nœud.   **C**   *Elle s'est heurtée à un obstacle.*

FULL PIN

fonctionner full pin   **A**   *fonctionner à plein régime*

FUN

avoir du fun   **A**   *avoir du plaisir, s'amuser*

C'est le fun.   **A**   *C'est drôle, amusant.*

FUSE

La fuse a sauté.   **A**   *Le fusible a sauté.*

FUSIONNER

Ces sociétés se sont fusionnées.   **D**   *Ces sociétés ont fusionné.*

G

A Anglicisme   **B** Barbarisme   **C** Calque de l'anglais   **D** Divers   **I** Impropriété
   M Marque de commerce   **P** Pléonasme   **S** Solécisme   **V** Emploi vieilli

Incorrect   Correct

GAGNER

Elle a gagné son point.   **C**   *Elle a eu gain de cause.*

GANG

faire partie d'une gang   **D**   *faire partie d'un gang*

GARDER

Gardez la droite.   **C**   *Tenez la droite, serrez à droite.*

Gardez la ligne.   **C**   *Restez en ligne. Ne quittez pas.*

garder un œil sur   **C**   *surveiller, avoir l'œil sur*

GARE

Le train entre dans la gare.   **I**   *Le train entre en gare.*

GAZ

manquer de gaz   **A**   *manquer d'essence*

GAZEBO

construire un gazebo	**A**	construire un belvédère, une gloriette, un pavillon

GAZER

C'est le temps de gazer.	**I**	C'est le temps de faire le plein.

GAZOLINE

avoir beaucoup de gazoline	**A**	avoir beaucoup d'essence

GÉRANT

gérant de banque	**I**	directeur de banque
gérante d'entreprise	**I**	directrice d'entreprise
gérante d'un artiste	**I**	imprésario d'un artiste

GLACE

crème à la glace	**I**	crème glacée, glace
glace noire	**C**	verglas

GLOBALISATION

globalisation des marchés	**A**	mondialisation des marchés

GOÉLAND

prononcé « gwélan »	**D**	prononcé « go-élan »

GOÉLETTE

prononcé « gwélette »	**D**	prononcé « go-élette »

GRACIEUSETÉ

une gracieuseté de	**V**	un cadeau de

GRADER

conduire un grader	**A**	conduire une niveleuse

GRADUATION

bal de graduation	**A**	bal de fin d'études
graduation	**A**	remise des diplômes (secondaire et collégial), collation des grades (université)

GRADUÉ

Elle est graduée depuis peu.	**A**	Elle est diplômée depuis peu.

GRADUER

Il a gradué l'an dernier.	**A**	Il a obtenu son diplôme l'an dernier.

GRAFIGNER

Elle s'est grafigné la main.	**V**	Elle s'est égratigné la main.

GRAVELLE

chemin de gravelle	**A**	chemin de gravier

GRÉ

Nous vous en serions gré.	**I**	Nous vous en saurions gré.

GREEN		
Ta balle est sur le green.	**A**	*Ta balle est sur le vert.*

GRILLER		
Elle aime se faire griller.	**I**	*Elle aime se faire bronzer.*

GRINCHER		
grincher des dents	**B**	*grincer des dents*

GYPROC		
un mur de gyproc	**M**	*un mur de carton-plâtre*

A Anglicisme   **B** Barbarisme   **C** Calque de l'anglais   **D** Divers   **I** Impropriété
M Marque de commerce   **P** Pléonasme   **S** Solécisme   **V** Emploi vieilli

Incorrect   Correct

GH
43

HABIT		
porter un habit neuf	**V**	*porter un costume,* *un complet neuf*

HABITER		
habiter dans la rue Dupuis	**D**	*habiter rue Dupuis*

HAÏR		
Je « t'haïs » (prononcé ta-i)	**D**	*Je « te hais » (prononcé te-è)*

HANDICAPÉ		
l'handicapé visuel	**D**	*le handicapé visuel*
les (z)handicapés	**D**	*les handicapés (pas de liaison)*

HAPPY-FEW		
Ce sont les happy-few.	**A**	*Il s'agit de l'élite, des privilégiés.*

HARNACHER		
harnacher un cours d'eau	**I**	*aménager un cours d'eau*

HATCHBACK		
le hatchback de la voiture	**A**	*le hayon de la voiture*

HELLO		
Hello!	**A**	*Allô!* ou *Allo!*

HERNIE		
Son hernie le fait souffrir.	**D**	*Sa hernie le fait souffrir.*

HEURE

2h00; 3 hres; 14h05; 14:30	**D**	*2 h; 3 heures; 14 h 5; 14 h 30*

HIT-AND-RUN

être accusé de hit-and-run	**A**	*être accusé de délit de fuite*

HOBBY

un hobby intéressant	**A**	*un passe-temps intéressant*

HOLD

mettre la communication sur le hold	**C**	*mettre la communication en attente*

HOMME

hommes au travail	**C**	*travaux, travaux en cours*

HONORABLE

présenter l'honorable députée	**A**	*présenter madame la députée*

HOOD

hood d'une voiture	**A**	*capot d'une voiture*

HORS

appareil hors d'ordre	**C**	*appareil défectueux, en panne, hors d'usage*
hors de notre contrôle	**C**	*imprévisible, qui ne dépend pas de nous*
règlement hors cour	**C**	*règlement à l'amiable*

HOSE

La hose est dans le jardin.	**A**	*Le tuyau d'arrosage est dans le jardin.*

HÔTESSE

hôtesse de l'air	**V**	*agente de bord*

HUILE

huile à chauffage	**C**	*mazout*
huile de castor	**C**	*huile de ricin*

HUISSIER

Une lettre livrée par le huissier.	**D**	*Une lettre livrée par l'huissier.*

HYPOTHÈQUE

avoir une hypothèque ouverte	**I**	*avoir un prêt hypothécaire ouvert*

I

Incorrect		Correct

IDENTIFIER

identifier des correctifs	**A**	proposer, suggérer des correctifs
identifier des priorités	**A**	déterminer des priorités
identifier des produits	**A**	nommer, citer des produits
Veuillez vous identifier.	**A**	Veuillez vous nommer, vous présenter.

IMPLIQUÉ

Prévenez les personnes impliquées.	**I**	Prévenez les personnes concernées.

IMPRESSION

être sous l'impression	**C**	avoir l'impression

INCIDEMMENT

Incidemment, tu peux compter sur moi.	**A**	Au fait, soit dit en passant, tu peux compter sur moi.

45

INCONTRÔLABLE

situation incontrôlable	**A**	situation imprévisible, imprévue

INCORPORÉ

Services Renée Delisle Inc.	**A**	Services Renée Delisle inc.

INDÉCENCE

grossière indécence	**C**	attentat à la pudeur

INDUSTRIE

Cette industrie quitte la ville.	**A**	Cette entreprise quitte la ville.

INÉQUITÉ

une inéquité flagrante	**B**	une iniquité flagrante

INFLIGER

s'infliger une fracture	**I**	se faire une fracture

INFORMATION

laisser couler de l'information	**C**	dévoiler, divulguer de l'information
pour votre information	**C**	pour information, à titre de renseignement

INFRACTUS

Il a fait un infractus.	**B**	Il a fait un infarctus.

INITIALER		
initialer un contrat	**I**	parafer, parapher un contrat

INITIER		
initier une politique nouvelle	**A**	instaurer une politique nouvelle
initier un programme	**A**	mettre en place un programme

INSÉCURE		
être souvent insécure	**A**	être souvent inquiet, anxieux

INSULTE		
pour ajouter l'insulte à l'injure	**C**	et comme si cela ne suffisait pas

INTER-CLUB		
un tournoi inter-club	**I**	un interclub, un tournoi interclubs

INTERCOM		
un message par intercom	**A**	un message par interphone

INTERMISSION		
une intermission de dix minutes	**A**	un entracte de dix minutes

INTRODUIRE		
Puis-je vous introduire?	**A**	Puis-je vous présenter?

INVENTAIRE		
article en inventaire	**A**	article en stock, en magasin
des inventaires considérables	**A**	des stocks considérables

46

ITEM		
item à l'ordre du jour	**A**	point, question à l'ordre du jour
item d'un contrat	**A**	article d'un contrat
items soldés	**A**	articles soldés

ITINÉRANT		
Il y a trop d'itinérants.	**I**	Il y a trop de sans-abri.

IVRESSOMÈTRE		
ivressomètre	**I**	alcootest

JK

Incorrect		Correct
JACK		
Le jack est défectueux.	**A**	*Le cric est défectueux.*
JAPPER		
Le gros chien jappe.	**I**	*Le gros chien aboie.*
JAQUETTE		
porter une jaquette	**I**	*porter une chemise de nuit*
JET		
embarquer dans un jet	**A**	*embarquer dans un avion à réaction*
JOB		
avoir une belle job	**A**	*avoir un travail, un emploi intéressant*
JOINDRE		
joindre un parti	**A**	*adhérer à un parti*
joindre une association	**A**	*devenir membre d'une association*
joindre une compagnie	**A**	*entrer au service d'une compagnie*
JOINT		
tirer les joints	**I**	*jointoyer*
JOINT VENTURE		
Il s'agit d'un joint venture.	**A**	*Il s'agit d'une coentreprise.*
JOKE		
C'est une joke.	**A**	*C'est une blague, un canular, une farce.*
JONGLER		
Il ne cesse de jongler.	**I**	*Il ne cesse de réfléchir.*
JOUG		
rime avec « fougue »	**D**	*rime avec « joue »*
JUNIOR		
embaucher un commis junior	**A**	*embaucher un commis débutant*
Guy Roy junior	**A**	*Guy Roy fils*
Martin est un plombier junior.	**A**	*Martin est un apprenti plombier.*
JUNK FOOD		
manger du junk food	**A**	*manger des aliments vides*

47

JURIDICTION

question de juridiction provinciale	**A**	question de compétence provinciale

KIOSQUE

kiosques du Salon du livre	**I**	stands du Salon du livre

KIT

kit de toilette	**A**	trousse de toilette

KLEENEX

une boîte de kleenex	**M**	une boîte de papiers-mouchoirs, de mouchoirs de papier

KODAK

As-tu apporté ton kodak?	**M**	As-tu apporté ton appareil photo?

KRACH

rime avec « crache »	**D**	rime avec « crac »

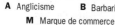

A Anglicisme **B** Barbarisme **C** Calque de l'anglais **D** Divers **I** Impropriété
M Marque de commerce **P** Pléonasme **S** Solécisme **V** Emploi vieilli

48

Incorrect   Correct

LAISSER

Laissez-le-moi savoir au plus tôt	**C**	Faites-le-moi savoir au plus tôt
Laissez-moi vous dire que	**C**	Soyez assuré que

LARGE

chandail large ou extra large	**A**	chandail grand ou très grand
prisonnier au large	**C**	prisonnier en liberté

LE

mercredi le 5 juillet	**A**	le mercredi 5 juillet

LEVÉE

levée de fonds	**C**	souscription, campagne de financement
la levée du rideau	**D**	le lever du rideau

LIBÉRATION

être en libération conditionnelle	**I**	être en liberté conditionnelle

LICENCE

licence bosselée	**A**	plaque d'immatriculation bosselée
licence complète	**C**	vin, bière et spiritueux
perdre ses licences	**A**	perdre son permis de conduire

LICHER		
Le chien m'a lichée.	**V**	*Le chien m'a léchée.*
LIFEGUARD		
Le lifeguard est présent.	**A**	*Le maître nageur, le surveillant de la piscine est présent.*
LIFT		
donner un lift à quelqu'un	**C**	*déposer, faire monter, ramener quelqu'un*
le lift du garage	**A**	*le pont élévateur du garage*
lift truck	**A**	*chariot élévateur*
LIFTING		
Elle s'est fait faire un lifting.	**A**	*Elle a eu un déridage, un lissage.*
LIGNE		
Ce n'est pas ma ligne.	**A**	*Ce n'est pas mon rayon, mon domaine.*
couper la ligne	**I**	*couper la communication*
être sur la ligne	**C**	*être en ligne*
fermer la ligne	**C**	*raccrocher*
Gardez la ligne.	**C**	*Restez en ligne. Ne quittez pas.*
La ligne est engagée.	**A**	*La ligne est occupée.*
ligne d'attente	**A**	*file (d'attente), queue*
ligne de piquetage	**C**	*piquet de grève*
ligne ouverte	**C**	*tribune téléphonique*
ouvrir la ligne	**C**	*décrocher*
traverser les lignes	**A**	*traverser la frontière*
trois jours en ligne	**C**	*trois jours consécutifs*
LINGE		
Elle porte du beau linge.	**V**	*Elle porte de beaux vêtements.*
LIP-SYNC		
faire du lip-sync	**A**	*faire de la présonorisation*
LIQUEUR		
boire une liqueur (douce)	**C**	*boire une boisson gazeuse*
LIQUID PAPER		
utiliser du liquid paper	**A**	*utiliser du liquide correcteur*
LISTE		
Trois auteures sont en liste.	**I**	*Trois auteures sont en lice.*
LIT		
lit double	**C**	*grand lit*
lit king size	**A**	*lit très grand format*
lit queen size	**A**	*lit grand format*
lit simple	**C**	*petit lit*

LITTÉRATURE		
Avez-vous de la littérature sur le sujet?	**A**	Avez-vous des dépliants, un prospectus, de la documentation sur le sujet?
LIVE		
une émission live	**A**	une émission en direct
LIVING-ROOM		
Il est dans le living-room.	**A**	Il est dans la salle de séjour, le vivoir.
LIVRAISON		
livraison spéciale	**C**	livraison exprès, par exprès
payable sur livraison	**C**	contre remboursement, payable à la livraison
LIVRE		
symbole : lbs.	**A**	lb
LIVRER		
livrer la marchandise	**C**	respecter ses engagements, tenir parole
LOADER		
acquérir un loader	**A**	acquérir une chargeuse
LOBBY		
lobby de l'hôtel	**A**	hall de l'hôtel
LOGER		
loger un appel	**C**	interjeter appel, en appeler
loger une plainte	**C**	porter plainte, déposer une plainte
loger un grief	**C**	déposer un grief
LOOK		
Elle a tout un look.	**A**	Elle a fière allure, une belle apparence.
LOTO		
gagner à la loto	**D**	gagner au loto
LOUSSE		
laisser du lousse	**A**	laisser du jeu, du mou
nœud lousse	**A**	nœud lâche
tunique lousse	**A**	tunique ample, flottante, non ajustée
LOYER		
aimer son loyer	**I**	aimer son appartement, son logement

LUMIÈRE

Incorrect		Correct
lumières de circulation	C	feux de circulation
lumières d'une automobile	A	feux arrière, de position, de croisement, de route d'une automobile
lumière du tableau de bord	A	voyant du tableau de bord
tourner à la prochaine lumière	A	tourner au prochain feu

LUTTE

faire la lutte au déficit	I	faire la lutte contre le déficit
lutte à finir	C	lutte à mort, sans merci

M

A Anglicisme   B Barbarisme   C Calque de l'anglais   D Divers   I Impropriété
M Marque de commerce   P Pléonasme   S Solécisme   V Emploi vieilli

Incorrect   Correct

MACHINE

Quelle belle machine!	I	Quelle belle voiture, automobile!

MADAME

La madame était contente.	I	La dame était contente.

MADELINOTE

C'est un Madelinot, une Madelinote.	D	C'est un Madelinot, une Madelinienne.

MAGASIN

travailler dans un magasin à rayons	C	travailler dans un grand magasin

MAILING

s'occuper du mailing	A	s'occuper du publipostage

MAIN

une bonne main d'applaudissements	C	applaudissons chaleureusement

MAINTENANCE

maintenance d'une voiture	A	entretien d'une voiture

MAIS

mais que tu viennes	D	lorsque tu viendras

MALLE

La malle est arrivée.	A	Le courrier est arrivé.

MALLER		
maller une lettre	**A**	mettre à la poste, poster une lettre

MANICURE		
Josée, manicure au Salon Untel	**I**	Josée, manucure au salon Untel

MANQUER		
manquer le bateau	**C**	manquer le coche, son coup
Nous t'avons manqué.	**C**	Tu nous as manqué.

MANUCURE		
faire un manucure	**C**	faire les ongles, manucurer

MANUEL		
manuel de service	**C**	guide d'entretien

MANUFACTURIER		
manufacturier d'automobiles	**V**	constructeur d'automobiles
manufacturier de meubles	**V**	fabricant de meubles

MARCHER		
J'ai marché 10 km hier.	**A**	J'ai fait 10 km à pied hier.

MARIN		
un pantalon bleu marin	**D**	un pantalon bleu marine

MARITIME		
Terre-Neuve : province maritime	**I**	Terre-Neuve : province de l'Atlantique

MASKING TAPE		
couvrir de masking tape	**A**	couvrir de ruban-cache

MATÉRIEL		
matériel de construction	**I**	matériaux de construction
matériel uni	**A**	tissu uni

MÉDIA		
média d'information	**P**	média

MÉDIUM		
petit, médium ou grand	**A**	petit, moyen ou grand
steak médium	**A**	steak à point

MEETING		
J'ai été convoqué à un meeting.	**A**	J'ai été convoqué à une rencontre.

MEILLEUR		
au meilleur de ma connaissance	**C**	à ma connaissance, autant que je sache
avoir le meilleur sur quelqu'un	**C**	battre, l'emporter sur quelqu'un
être à son meilleur	**C**	être au mieux, exceller
meilleur avant	**C**	date de péremption, date limite d'utilisation

MÉLANGE		
mélange à gâteau	**A**	préparation pour gâteau
MEMBERSHIP		
Quel est le membership?	**A**	Quel est le nombre de membres, l'effectif?
MÊME		
même à ça	**C**	même là, malgré cela
MÉMO		
mémo du patron	**I**	note de service du patron
MÉMOIRE		
en mémoire de	**V**	à la mémoire de
MERCERIE		
aller dans une mercerie	**I**	aller dans un magasin de vêtements pour hommes
MÉRITER		
Jean a mérité la médaille d'or.	**I**	Jean a remporté la médaille d'or.
Elle s'est mérité ce prix.	**I**	Elle a gagné, remporté ce prix.
MÉTROPOLITAIN		
le Montréal métropolitain	**I**	le Grand Montréal
MIEUX		
Tu serais mieux de te taire.	**C**	Tu ferais mieux de te taire.
MILK-SHAKE		
déguster un milk-shake	**A**	déguster un lait fouetté
MILLE		
trois mille(z)enfants	**D**	trois mille enfants (pas de liaison)
MINEUR		
blessure mineure	**A**	blessure légère
opération mineure	**A**	opération bénigne
MINISTÈRE		
le Ministère de la justice	**D**	le ministère de la Justice
MINIVAN		
rouler en minivan	**A**	rouler en fourgonnette
MINUTES		
les minutes de la séance	**A**	le procès-verbal de la séance
livre des minutes	**C**	registre des procès-verbaux
MOI		
moi pour un	**C**	à mon avis, quant à moi, selon moi
MOINEAU		
moineau de badminton	**I**	volant de badminton

MOMENT		
à un certain moment donné	**S**	*à un certain moment, à un moment donné*
MOMENTUM		
perdre le momentum	**A**	*perdre de la vitesse*
profiter du momentum	**A**	*profiter des circonstances favorables*
MONDE		
Tout le monde savent cela.	**D**	*Tout le monde sait cela.*
MONÉTAIRE		
clauses monétaires	**A**	*clauses salariales*
difficultés monétaires	**A**	*difficultés pécuniaires, financières*
MONGOL		
accoucher d'un Mongol	**I**	*accoucher d'un mongolien*
MONTANT		
un chèque au montant de 25 $	**C**	*un chèque de 25 $*
MONTER		
monter en haut	**P**	*monter*
MONTRE		
salle de montre	**V**	*salle d'exposition*
MOP		
passer la mop	**A**	*passer la vadrouille, le balai à franges*
MOQUER		
s'en moquer comme dans l'an 40	**S**	*s'en moquer comme de l'an 40*
MOTO		
aller travailler en moto	**I**	*aller travailler à moto*
MOUCHE		
mouche à feu	**C**	*luciole*
MOULÉE		
moulée pour animaux	**I**	*farine, aliment pour animaux*
MOULIN		
moulin à coudre	**C**	*machine à coudre*
moulin à papier	**C**	*papeterie, usine de papier*
MOULT		
donner moult détails	**V**	*donner de nombreux détails*
MOUSSER		
mousser une candidature	**I**	*favoriser une candidature*
mousser ses qualités	**I**	*faire mousser ses qualités*

MOUSTIQUAIRE

| le moustiquaire de la fenêtre | **D** | la moustiquaire de la fenêtre |

MOZZARELLA

| du mozzarella | **D** | de la mozzarella |

MUFFLER

| Le muffler est troué. | **A** | Le silencieux est troué. |

MUSIQUE

| faire face à la musique | **C** | ne pas reculer, affronter la tempête |

MUST

| C'est un must. | **A** | C'est une obligation, un impératif, un incontournable. |

MUTE

| mettre le mute | **A** | mettre la sourdine |

MUTUEL

| investir dans un fonds mutuel | **C** | investir dans un fonds commun de placement |

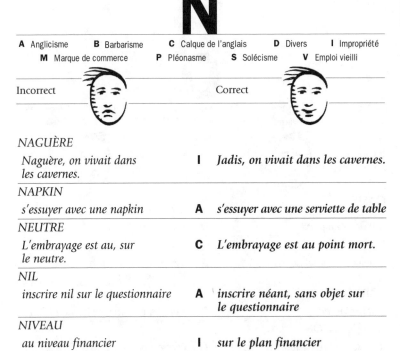

A Anglicisme **B** Barbarisme **C** Calque de l'anglais **D** Divers **I** Impropriété
M Marque de commerce **P** Pléonasme **S** Solécisme **V** Emploi vieilli

Incorrect   Correct

NAGUÈRE

| Naguère, on vivait dans les cavernes. | **I** | Jadis, on vivait dans les cavernes. |

NAPKIN

| s'essuyer avec une napkin | **A** | s'essuyer avec une serviette de table |

NEUTRE

| L'embrayage est au, sur le neutre. | **C** | L'embrayage est au point mort. |

NIL

| inscrire nil sur le questionnaire | **A** | inscrire néant, sans objet sur le questionnaire |

NIVEAU

| au niveau financier | **I** | sur le plan financier |
| au niveau du travail | **I** | en ce qui concerne le travail |

NŒUD		
filer dix nœuds à l'heure	**P**	*filer dix nœuds*
Josée a frappé un nœud.	**C**	*Josée a eu un problème.*

NO-FAULT		
C'est un no-fault.	**A**	*C'est une assurance sans égard à la responsabilité.*

NOM		
Mon nom est Noémie Delisle.	**C**	*Je m'appelle Noémie Delisle.*

NOMINÉ		
les nominés pour…	**A**	*les nommés pour…, les sélectionnés pour…*

NOMINER		
nominer une personne	**A**	*mettre une personne en nomination, sélectionner une personne*

NON APPLICABLE, NA		
non applicable, NA	**C**	*Sans objet, S. O., s. o.*

NOTICE		
donner sa notice	**A**	*donner sa démission*
recevoir sa notice	**A**	*être congédié*

NUMÉRO		
no., #	**A**	*n^o*

NO
56

O

A Anglicisme **B** Barbarisme **C** Calque de l'anglais **D** Divers **I** Impropriété
M Marque de commerce **P** Pléonasme **S** Solécisme **V** Emploi vieilli

Incorrect Correct

OASIS		
un oasis de paix	**D**	*une oasis de paix*

OBJECTER		
s'objecter à quelque chose	**A**	*s'opposer à, s'élever contre quelque chose*

OBJECTION		
avoir objection	**S**	*s'opposer à, être en désaccord avec*

OBSERVATION		
être sous observation	**C**	*être en observation, sous surveillance*

OCCASIONNEL		
employé occasionnel	**I**	*employé temporaire*
OCTROI		
octroi du gouvernement	**I**	*subvention du gouvernement*
octroi d'un diplôme	**I**	*délivrance d'un diplôme*
OCTROYER		
octroyer un diplôme	**I**	*délivrer un diplôme*
octroyer un prêt	**I**	*accorder un prêt*
octroyer un prix	**I**	*attribuer un prix*
ŒUVRER		
œuvrer pour une compagnie	**I**	*travailler pour une compagnie*
OFF		
être off demain	**A**	*être en congé, libre demain*
OMBUDSMAN		
un ombudsman efficace	**I**	*un protecteur du citoyen efficace*
ON		
L'on est d'accord.	**V**	*On est d'accord.*
ONCE		
2 lb = 32 on.	**I**	*2 lb = 32 oz*
ONDE		
payer rubis sur l'onde	**D**	*payer rubis sur l'ongle*
ONE-MAN-SHOW		
C'est son premier one-man-show.	**A**	*C'est son premier spectacle solo.*
ONE-WAY		
C'est un one-way.	**A**	*C'est un sens unique.*
OPÉRATEUR		
opérateur de chasse-neige	**A**	*conducteur de chasse-neige*
demander à l'opératrice	**A**	*demander à la téléphoniste*
OPÉRATION		
budget d'opération	**C**	*budget d'exploitation*
coût, frais d'opération	**C**	*frais d'exploitation*
dépenses d'opération	**C**	*dépenses de fonctionnement*
en opération	**A**	*en activité, en service, en marche*
revenu d'opération	**C**	*bénéfice d'exploitation*
OPÉRER		
opérer un commerce	**A**	*exploiter un commerce*
opérer une entreprise	**A**	*diriger une entreprise*
opérer une machine	**A**	*conduire une machine*

OPPORTUNITÉ		
opportunité d'affaires	**C**	occasion d'affaires
rater de belles opportunités	**A**	rater de belles occasions, possibilités

ORAGE		
orage électrique	**P**	orage

ORDRE		
en bon ordre	**C**	en bon état
être hors d'ordre	**C**	poser une question irrecevable
hors d'ordre (ligne téléphonique)	**C**	en panne, en dérangement
passeport en ordre	**C**	passeport en règle
soulever un point d'ordre	**C**	invoquer le règlement
un ordre de toasts	**C**	deux toasts, deux rôties

ORIGINER		
Cette nouvelle origine de ce journal.	**A**	Cette nouvelle provient de ce journal.

ORTEILLE		
la grosse orteille	**D**	le gros orteil

OS		
Il ne fera pas vieux os.	**I**	Il ne fera pas de vieux os.

OSCILLER		
rime avec « briller »	**D**	rime avec « filer »

OURS		
rime avec « jour »	**D**	rime avec « bourse » (singulier et pluriel)

OUVERTURE		
Il y a une ouverture.	**A**	Il y a un débouché, un poste vacant.

OVERDOSE		
Il est mort d'une overdose.	**A**	Il est mort d'une surdose.

OVERTIME		
J'ai fait de l'overtime.	**A**	J'ai fait des heures supplémentaires.

OXYGÈNE		
prononcé « ogzigène »	**D**	prononcé « oksigène »

P

A Anglicisme   B Barbarisme   C Calque de l'anglais   D Divers   I Impropriété
M Marque de commerce   P Pléonasme   S Solécisme   V Emploi vieilli

Incorrect		Correct

PACEMAKER

implanter un pacemaker **A** *implanter un stimulateur cardiaque*

PACKAGE DEAL

Je t'offre un package deal. **A** *Je t'offre un accord global, une entente globale.*

PAGER

pager quelqu'un **A** *téléavertir quelqu'un, appeler par téléavertisseur*

PAGETTE

Voici son numéro de pagette. **M** *Voici son numéro de téléavertisseur.*

PAIE

paie de vacances **C** *indemnité de congé*

PAIN

pain brun **C** *pain bis, pain de son*

pain de blé entier **C** *pain complet*

PALETTE

palette de chocolat **I** *barre, tablette de chocolat*

PALLIATIF

C'est un palliatif au chômage. **S** *C'est un palliatif du chômage.*

PALLIER

pallier à un inconvénient **S** *pallier un inconvénient*

PAMPHLET

La caisse m'a remis ce pamphlet. **A** *La caisse m'a remis ce dépliant.*

PANACÉE

panacée universelle **P** *panacée*

PANTALON

porter de beaux pantalons **I** *porter un beau pantalon*

une paire de pantalons **C** *un pantalon*

un pantalon long **P** *un pantalon*

PAPIER		
papier brun	C	papier d'emballage
papier de toilette	C	papier hygiénique
papier sablé	C	papier de verre

PAR		
Elle a joué le par.	A	Elle a joué la normale.
une table de 1 m par 2 m	A	une table de 1 m sur 2 m

PARADE		
parade de mode	C	défilé de mode

PARALYSER		
Il a paralysé.	I	Il est devenu paralysé.

PARC		
parc d'amusement	C	parc d'attractions, parc récréatif

PARE-CHOCS		
rouler pare-chocs à pare-chocs	I	rouler pare-chocs contre pare-chocs

PAREIL		
pareil comme, pareil que	I	pareil à

PARLER		
parler à travers son chapeau	C	parler à tort et à travers
Parlez-moi-z-en.	D	Parlez-m'en.

60

PART		
acheter des parts	A	acheter des actions
à part de ça	S	à part ça
à parts égales	I	en parts égales
prendre la part de quelqu'un	C	prendre la défense, le parti de quelqu'un

PARTIR		
partir à son compte	A	s'établir à son compte
partir en affaires	A	lancer une affaire
partir le bal	A	ouvrir le bal
partir une discussion	I	déclencher, engager une discussion
partir une entreprise	A	créer, lancer une entreprise
partir une mode	A	lancer une mode
partir une rumeur	I	faire courir, répandre une rumeur
partir une voiture, un moteur	A	démarrer, faire partir une voiture, un moteur

PARTOUT		
en tout et partout	I	en tout et pour tout

PARTY		
Tu étais au party hier?	**A**	*Tu étais à la fête, à la partie, à la surprise-partie hier?*
PASSE		
As-tu ta passe?	**V**	*As-tu ton laissez-passer?*
une passe d'autobus	**V**	*une carte d'autobus*
PASSÉ		
compte passé dû	**C**	*compte en souffrance*
produit passé date	**A**	*produit périmé*
PASSER		
Cet immeuble a passé au feu.	**I**	*Cet immeuble a brûlé.*
passer sur un feu rouge	**A**	*griller un feu rouge*
passer une loi	**A**	*voter une loi*
passer un règlement	**A**	*adopter un règlement*
PATATE		
patates pilées	**I**	*purée (de pommes de terre)*
Quelle patate chaude!	**C**	*Quelle situation embarrassante!*
PATCH		
patch antitabac	**A**	*timbre antitabac*
PÂTE		
pâte à dents	**C**	*dentifrice, pâte dentifrice*
poudre à pâte	**C**	*levure chimique*
PATENTÉ		
invention patentée	**A**	*invention brevetée*
PATÈRE		
Place ton imperméable sur la patère. (au sens de support sur pied)	**I**	*Place ton imperméable sur le portemanteau.*
PAVAGE		
faire le pavage de l'autoroute	**I**	*faire l'asphaltage de l'autoroute*
PAVER		
paver la cour de l'école	**I**	*asphalter la cour de l'école*
PAYABLE		
payable sur livraison	**C**	*payable à la livraison*
PAYER		
se faire payer sous la table	**C**	*travailler au noir*
payer cash	**A**	*payer comptant*
payer 10 $ pour un repas	**A**	*payer un repas 10 $*
PAYEUR		
payeur de taxes	**C**	*contribuable*

P

PEANUT

manger des peanuts   **A**   manger des arachides, des cacahuètes

PEAU

par la peau des dents   **C**   d'extrême justesse

PÉCANE

tarte aux pécanes   **A**   tarte aux pacanes

PÉCUNIER

avantage pécunier   **B**   avantage pécuniaire

PÉDALE

pédale à gaz   **C**   accélérateur

PEDIGREE

le pedigree d'un chien   **A**   la généalogie d'un chien

PEIGNURE

Quelle peignure extravagante!   **V**   Quelle coiffure extravagante!

PEINTURE

Peinture fraîche!   **C**   Attention à la peinture!

PEINTURER

peinturer un mur   **V**   peindre un mur

PER CAPITA

Prix d'entrée : 35 $ per capita.   **C**   Prix d'entrée : 35 $ par personne.

PER DIEM

un per diem de 10 $ **C**   une indemnité quotidienne, un forfait quotidien de 10 $

PERDRE

perdre des points d'inaptitude   **I**   accumuler des points d'inaptitude

PERFORMER

Le joueur a performé.   **A**   Le joueur a brillé, excellé.

PÉRIODE

période de français   **A**   classe, cours de français

PESER

peser sur un bouton   **A**   appuyer sur un bouton

PET SHOP

Je dois passer au pet shop.   **A**   Je dois passer à l'animalerie.

PETIT

petite fillette   **P**   fillette

PÉTONCLE

de bonnes petites pétoncles   **D**   de bons petits pétoncles

PIASTRE

As-tu cinq piastres?   **V**   As-tu cinq dollars?

PICKLES

J'adore les pickles.	**A**	J'adore les cornichons marinés, à l'aneth.

PIED

Il m'a remplacée à pied levé.	**D**	Il m'a remplacée au pied levé.

PIERRE

des pierres sur les reins	**V**	des calculs rénaux
faire une pierre deux coups	**S**	faire d'une pierre deux coups

PILER

piler sur son orgueil	**D**	mettre son orgueil de côté
piler sur un objet	**V**	marcher sur un objet
se piler sur les pieds	**V**	se marcher sur les pieds

PIMENT

piment doux	**I**	poivron
piment fort	**P**	piment

PIN

une collection de pins	**A**	une collection d'épinglettes, de broches

PIRE

au pire aller	**D**	au pis aller
aussi pire	**S**	aussi mal, aussi méchant
moins pire	**I**	moins mauvais, moins grave

PISTE

épreuves de piste et pelouse	**C**	épreuves d'athlétisme

PIZZA

prononcé « pitza »	**D**	prononcé « pidza »

PLACE

Neuville est une belle place.	**A**	Neuville est un bel endroit.
place d'affaires	**C**	établissement, bureau, siège social
place Jacques-Cartier	**I**	complexe, édifice, tour Jacques-Cartier
prendre place	**C**	se produire, se trouver

PLACER

placer une commande	**A**	passer une commande, commander
placer un appel	**A**	appeler, téléphoner, faire un appel
placer un grief	**A**	formuler un grief

PLAIN

Un sandwich plain ou toasté?	**A**	Un sandwich nature ou grillé?

PLAISIR		
il me fait plaisir de	**S**	*c'est avec plaisir que je;* *j'ai le plaisir de*
PLAN		
au plan financier	**I**	*sur le plan financier*
plan d'assurance	**C**	*régime d'assurance*
plan de pension	**C**	*régime de retraite*
PLANCHER		
demeurer au deuxième plancher	**A**	*demeurer au deuxième étage*
immeuble de huit planchers	**A**	*immeuble de huit niveaux*
PLANT		
quitter le plant	**A**	*quitter l'usine*
PLASTER		
Elle a un plaster au doigt.	**A**	*Elle a un pansement,* *un diachylon au doigt.*
PLONGE		
Ses actions ont fait une plonge.	**I**	*Ses actions ont fait un plongeon.*
PLUG		
plug défectueuse	**A**	*prise de courant défectueuse*
faire une plug	**A**	*faire une publicité clandestine*
PLYWOOD		
un mur en plywood	**A**	*un mur en contreplaqué*
P.M.		
réunion à 8 h p.m.	**A**	*réunion à 20 h, 8 h du soir*
POÊLE		
le four du poêle	**I**	*le four de la cuisinière*
POGNE		
avoir de la pogne	**V**	*avoir de la poigne*
POGNER		
se faire pogner	**V**	*se faire prendre, saisir, attraper*
POINÇONNER		
poinçonner sa fiche de présence	**I**	*pointer sa fiche de présence*
POINT		
faire attention aux points aveugles	**C**	*faire attention aux angles morts*
Ma vie est à un point tournant.	**C**	*Ma vie est à un tournant.*
points de démérite	**C**	*points d'inaptitude*
soulever un point d'ordre	**C**	*invoquer le règlement*
POLE		
pole d'un rideau	**A**	*tringle d'un rideau*

64

POLICE		
police montée	**C**	Gendarmerie royale du Canada
une police courtoise	**I**	une policière, un policier courtois

POMPE		
pompe à gaz	**C**	pompe à essence

POPCORN		
manger du popcorn	**A**	manger du maïs soufflé

PORTE-PATIO		
la moustiquaire de la porte-patio	**C**	la moustiquaire de la porte-fenêtre

PORTIQUE		
portique de la maison	**I**	vestibule de la maison

POSER		
poser un geste	**I**	faire un geste, commettre un acte
poser une amie	**I**	photographier une amie

POSITIF		
être positif que	**C**	être certain, convaincu que
Benoît a été testé positif.	**C**	Le test de Benoît a été positif.

POSSIBLE		
faire tout en son possible	**V**	faire tout son possible

65

POST MORTEM		
faire un post mortem	**A**	faire une analyse, un bilan, l'examen, une rétrospective

POSTER		
avoir de nombreux posters	**A**	avoir de nombreuses affiches

POST-IT		
placer un post-it	**M**	placer un papillon (adhésif)

POST-SCRIPTUM		
P. S.	**A**	P.-S.

POUR		
être nommé pour la vie	**C**	être nommé à vie
J'y serai pour un mois.	**A**	J'y serai pendant un mois.
pour aussi peu que 20 $	**C**	pour seulement 20 $
pour son travail, elle a reçu...	**A**	en compensation de son travail...
pour, sous aucune considération	**C**	à aucun prix, sous aucun prétexte
pour faire une longue histoire courte	**C**	bref, en deux mots
pour votre information	**C**	à titre de renseignement, pour information
un reçu pour fins d'impôt	**C**	un reçu fiscal, officiel

POURRI		
pomme pourrite	**I**	pomme pourrie

POWER		
power brakes	**A**	freins assités, servofrein
power steering	**A**	servodirection

PRATIQUE		
pratique de soccer	**A**	exercice, entraînement de soccer
pratique d'une pièce de théâtre	**A**	répétition d'une pièce de théâtre

PRATIQUER		
pratiquer le piano	**A**	s'exercer au piano
pratiquer un rôle	**A**	répéter un rôle
se pratiquer au basket-ball	**A**	s'entraîner au basket-ball

PRÉJUDICE		
sans préjudice	**C**	sous toutes réserves

PREMIER		
1^{ier}, 1^{ière}, 1^{iers}, 1^{ières}	**D**	1er, 1re, 1ers, 1res
Quelle est la première priorité?	**P**	Quelle est la priorité?
les premiers balbutiements d'une entreprise	**P**	les balbutiements d'une entreprise
les premiers deux jours	**A**	les deux premiers jours

66

PRENDRE		
prendre action	**C**	agir, passer aux actes
prendre des procédures	**C**	poursuivre (en justice)
prendre en feu	**I**	prendre feu
prendre force	**C**	entrer en vigueur
prendre la parole de quelqu'un	**C**	se fier à la parole de quelqu'un
prendre la part de quelqu'un	**C**	prendre la défense de quelqu'un
prendre le plancher	**C**	monopoliser l'attention
prendre le vote	**C**	voter, procéder au scrutin
prendre les bouchées doubles	**C**	mettre les bouchées doubles
prendre place	**C**	se trouver
prendre pour acquis	**C**	tenir pour acquis
prendre un cours	**C**	suivre, s'inscrire à un cours
prendre une chance	**C**	prendre un risque, tenter sa chance
prendre une marche	**C**	faire une promenade, un tour
prends-toi(z)en	**D**	prends-t'en

PRÉREQUIS		
connaître les prérequis	**C**	connaître les préalables, les conditions d'admissibilité

PRESCRIPTION

prescription illisible	**A**	ordonnance illisible

PRÉSERVATIF

ajouter des préservatifs	**A**	ajouter des agents de conservation

PRESSION

basse pression	**C**	hypotension
haute pression	**C**	hypertension
mettre de la pression sur quelqu'un	**C**	faire pression sur quelqu'un
pression sanguine	**C**	pression artérielle, tension artérielle

PRESTO

utiliser un presto	**M**	utiliser un autocuiseur, une cocotte-minute

PRÉSUMÉMENT

présumément que...	**A**	vraisemblablement, probablement que...

PRÉTEXTE

sous un faux prétexte	**C**	sous le prétexte, sous le faux motif de

PRETZEL

manger des pretzels	**A**	manger des bretzels

PRÉVALOIR

le contexte qui prévaut	**A**	le contexte actuel

PREVIEW

visionner des previews	**A**	visionner des bandes-annonces

PRÉVOIR

prévoir d'avance	**P**	prévoir

PRIME

prime de séparation	**C**	indemnité de départ, de cessation d'emploi

PRIMER

appliquer un primer	**A**	appliquer un apprêt

PRIORISER

Que doit-on prioriser?	**A**	À quoi doit-on donner priorité?

PRIVÉ

cours privé	**C**	cours particulier
secrétaire privé	**C**	secrétaire particulier

PRIX		
prix d'admission	A	entrée, prix d'entrée
prix de liste	C	prix courant
prix de revient	C	coût de revient
prix régulier	C	prix courant
prix spécial	C	prix réduit, de solde

PRO SHOP		
acheter au pro shop	A	acheter à la boutique du pro

PROBATION		
période de probation	C	période d'essai, stage probatoire

PROBLÉMATIQUE		
la problématique du logement	I	le problème du logement

PROGRAMME		
programme de télévision	A	émission de télévision

PRO-MAIRE		
Elle est pro-maire.	A	Elle est mairesse suppléante.

PROMOUVOIR		
Ils promouvoient ce jouet.	I	Ils promeuvent ce jouet.

PROSPECT		
avoir de nombreux prospects	A	avoir de nombreux clients potentiels

PUBLICISTE		
des publicistes innovatrices	I	des publicitaires innovatrices

PUIS		
puis ensuite	P	puis ou ensuite

PUNCH		
publicité qui a du punch	A	publicité qui a du mordant, qui frappe
punch à trois trous	A	perforateur à trois trous

PUSHER		
Ce garçon est un pusher.	A	Ce garçon est un revendeur, un trafiquant de drogues.

PUSH-UP		
faire des push-up	A	faire des pompes, des tractions

PUT		
réussir un long put	A	réussir un long roulé

PUTTER		
avoir un putter de qualité	A	avoir un fer droit de qualité

QR

Incorrect		Correct

QUALIFICATIONS

avoir les qualifications nécessaires	**A**	*avoir la compétence, la formation nécessaire*

QUATRE

un quatre par quatre	**C**	*un quatre roues motrices, un quatre-quatre*

QUE

Elle se demande qu'est-ce qu'il veut.	**S**	*Elle se demande ce qu'il veut.*
Voici ce que j'ai de besoin.	**S**	*Voici ce dont j'ai besoin.*
Voilà ce que les gens avaient l'air.	**S**	*Voilà ce dont les gens avaient l'air.*

QUITTER

Elle a quitté hier.	**A**	*Elle a démissionné hier.*
Il vient de quitter.	**I**	*Il vient de partir, de quitter le bureau.*

QUIZ

participer à un quiz	**A**	*participer à un jeu-questionnaire*

RABATTRE

se faire rabattre les oreilles	**I**	*se faire rebattre les oreilles*

RACK

rack à bouteilles	**A**	*porte-bouteilles*
rack à vélos	**A**	*support à vélos*
rack de la voiture	**A**	*porte-bagages de la voiture*
rack du magasin	**A**	*présentoir, étagère du magasin*

RACKET

C'est un racket.	**A**	*C'est du vol, de l'escroquerie.*

RACOIN

chercher dans tous les racoins	**B**	*chercher dans tous les recoins*

RADIO

un radio portatif	**D**	*une radio portative*

RAFALE

rafale de vent	**P**	*rafale*

RAPPELER

Je ne me rappelle pas de ton nom.	**S**	*Je ne me rappelle pas ton nom.*
Les mots dont elle s'est rappelée.	**S**	*Les mots qu'elle s'est rappelés.*

RAPPORT

rapport d'impôt	**I**	*déclaration de revenus, fiscale*

RAPPORTER

se rapporter à son employeur	**C**	*rendre des comptes à son employeur*
se rapporter au travail	**C**	*se présenter au travail*

RAQUÉ

être raqué	**C**	*être courbaturé, fatigué*

RATING

Quel est le rating du terrain?	**A**	*Quelle est l'évaluation du terrain?*

RAVIGORER

repas ravigorant	**I**	*repas revigorant*

RÉBARBATIF

être rébarbatif au changement	**I**	*être réfractaire au changement*

RÉCHAUFFEMENT

des exercices de réchauffement	**I**	*des exercices d'échauffement*

70

RÉCIPIENDAIRE

récipiendaire d'un trophée	**I**	*gagnant d'un trophée*

RECOMPTAGE

exiger un recomptage des voix	**I**	*exiger un second dépouillement*

RECONDITIONNER

reconditionner un moteur	**A**	*remettre à neuf, réusiner un moteur*

RECULONS

rouler de reculons	**I**	*rouler à reculons*
se mettre sur le reculons	**I**	*se mettre en marche arrière*

RED TAPE

C'est du red tape.	**A**	*Ce sont des formalités administratives.*

RÉDUIRE

réduire au maximum	**D**	*réduire au minimum*

REER

prononcé « rire »	**D**	*prononcé « réèr »*

RÉFÉRENCES

lettre de références	**A**	*lettre de recommandation*

RÉFÉRER		
référer	**A**	*adresser, diriger vers, envoyer*
référer à l'horaire	**A**	*consulter l'horaire*
référer à un article	**A**	*se référer à, se reporter à un article*
référer un dossier	**A**	*transmettre, confier un dossier*
référer un patient à une docteure	**A**	*diriger un patient vers une docteure*
REGAILLARDIR		
Ce bouillon va te regaillardir.	**B**	*Ce bouillon va te ragaillardir.*
REGARDER		
Ça regarde bien, mal.	**C**	*Les choses s'annoncent bien, mal.*
RÉGULIER		
employée régulière	**A**	*employée permanente*
essence régulière	**A**	*essence ordinaire*
prix régulier	**A**	*prix courant*
séance régulière	**A**	*séance ordinaire*
RÉHABILITATION		
réhabilitation d'un handicapé	**A**	*réadaptation d'un handicapé*
réhabilitation d'un membre	**A**	*rééducation d'un membre*
REJOINDRE		
rejoindre quelqu'un par téléphone	**I**	*joindre quelqu'un par téléphone*
RELAX		
être relax	**A**	*être détendu, décontracté*
REMORQUEUSE		
avoir besoin d'une remorqueuse	**I**	*avoir besoin d'une dépanneuse*
REMPIRER		
la situation rempire	**I**	*la situation s'aggrave, prend de l'ampleur*
REMPLIR		
remplir une commande	**C**	*exécuter une commande*
remplir une ordonnance	**C**	*exécuter une ordonnance*
remplir une prescription	**C**	*exécuter une ordonnance*
RENCONTRER		
rencontrer des besoins	**A**	*répondre à, satisfaire des besoins*
rencontrer des difficultés	**A**	*éprouver des difficultés*
rencontrer des échéances	**A**	*respecter des échéances*
rencontrer des exigences	**A**	*répondre à, satisfaire des exigences*
rencontrer des obligations	**A**	*faire face à, régler des obligations*
rencontrer un objectif	**A**	*atteindre un objectif*

RENFORCIR		
renforcir une équipe	**V**	renforcer une équipe

RÉNUMÉRATION		
rénumération du personnel	**B**	rémunération du personnel

RENVERSER		
Renversez les charges, svp.	**C**	Virez les frais, svp.

RÉOUVRIR		
réouvrir le dossier	**B**	rouvrir le dossier

RÉPÉTER		
répéter de nouveau	**P**	répéter

REPRÉSENTANT		
représentant des ventes	**C**	représentant commercial

REPRÉSENTATION		
sous de fausses représentations	**C**	fraude, abus de confiance

RÉQUISITION		
faire une réquisition	**A**	faire une demande d'achat

RESPIRE		
prendre son respire	**B**	prendre sa respiration

RESSOURCE		
prononcé « rèsource »	**D**	prononcé « re-source »

RESTER		
être là pour rester	**C**	être bien établi, être là pour de bon

RÉSULTER		
résulter en un échec	**C**	causer, provoquer un échec

RETOUR		
adresse de retour	**C**	adresse de l'expéditeur
au retour de la pause	**I**	après la pause
retour à l'école	**C**	rentrée scolaire
retour d'impôt	**C**	remboursement d'impôt

RETOURNABLE		
bouteille retournable	**A**	bouteille consignée

RETOURNER		
retourner un appel	**C**	rappeler

RETRACER		
retracer un voleur	**I**	retrouver, localiser, repérer un voleur

REVAMPER		
revamper un appartement	**A**	rénover, remettre à neuf un appartement

REVIRER

revirer fou	**V**	*devenir fou*
revirer le steak	**V**	*retourner le steak*
se revirer dans sa tombe	**V**	*se tourner dans sa tombe*

REVISER

reviser un texte	**V**	*réviser un texte*

REVOLER

L'eau a revolé.	**I**	*L'eau a jailli.*

RISQUE

courir le risque de gagner le prix	**I**	*courir la chance de gagner le prix*

RIVE

la Rive-Sud de Montréal	**I**	*la Rive-Sud*
la Rive-Sud de Québec	**I**	*la rive sud, en face de Québec*

ROYAUTÉS

recevoir des royautés	**A**	*recevoir des droits d'auteur, des redevances*

RUN

la run de la camelot	**A**	*la tournée, le parcours de la camelot*

RUSH

le rush de 17 h	**A**	*la période de pointe de 17 h*

S

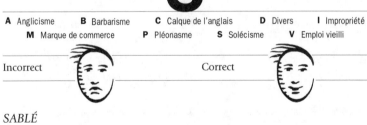

A Anglicisme	**B** Barbarisme	**C** Calque de l'anglais	**D** Divers	**I** Impropriété
M Marque de commerce		**P** Pléonasme	**S** Solécisme	**V** Emploi vieilli

Incorrect   Correct

SABLÉ

papier sablé	**C**	*papier de verre, papier d'émeri*

SABRER

sabrer dans un reportage	**D**	*sabrer un reportage*
sabrer dans le budget	**I**	*réduire considérablement, sabrer le budget*

SACOCHE

sacoche à bandoulière	**I**	*sac à main à bandoulière*

SALLE

salle à dîner	**C**	*salle à manger*

SANCTUAIRE

sanctuaire d'oiseaux **C** *réserve ornithologique*

SANS

sans dessus dessous **I** *sens dessus dessous (san-tsu-tsou)*

sans devant derrière **I** *sens devant derrière (san-dvan-dè-rjèr)*

SAUVER

sauver de l'argent **A** *économiser, épargner de l'argent*

sauver du temps **A** *gagner du temps*

sauver un fichier **A** *sauvegarder un fichier*

SCAB

Ils ont embauché des scabs. **A** *Ils ont embauché des briseurs de grève.*

SCALPER

Il y a des scalpers devant le Centre Bell. **A** *Il y a des trafiqueurs de billets devant le Centre Bell.*

SCOOP

avoir un scoop **A** *avoir de l'information de dernière heure, une exclusivité*

SCOTCH TAPE

utiliser du scotch tape **A** *utiliser du ruban adhésif*

74

SCRAP

mettre à la scrap **A** *mettre à la ferraille*

SCRAP-BOOK

un scrap-book de collants **A** *un album de collants*

SEADOO

faire du seadoo **M** *faire de la motomarine*

SECONDAIRE

cours, niveau secondaire **I** *enseignement secondaire*

secondaire I et II **D** *1re et 2e secondaire*

SECONDER

seconder une proposition **A** *appuyer une proposition*

SECOUSSE

depuis une bonne secousse **V** *depuis un bon moment*

SÉCURE

se sentir sécure **A** *se sentir en sécurité*

SEMI-FINALE

se rendre en semi-finale **A** *se rendre en demi-finale*

SÉNIORITÉ

avoir de la séniorité **A** *avoir de l'ancienneté*

SENS

Cela fait du sens.	**C**	Cela a du sens, est logique.

SENSEUR

utiliser un senseur	**A**	utiliser un capteur, un détecteur

SERVICE

offre de services	**D**	offre de service

SERVIETTE

jeter, lancer la serviette	**C**	abandonner, capituler, jeter l'éponge
serviette sanitaire	**A**	serviette hygiénique

SESSION

session d'information	**A**	séance d'information

SET

set de cuisine	**A**	mobilier de cuisine
set de salon	**A**	mobilier de salon
set de tennis	**A**	manche de tennis
set de vaisselle	**A**	service de vaisselle
set d'outils	**A**	coffre d'outils

SEULEMENT

Il a seulement qu'à faire cela.	**S**	Il n'a qu'à faire cela.

SEXY

une personne sexy	**A**	une personne séduisante
une tenue sexy	**A**	une tenue suggestive

SHIFT

être sur le shift de jour	**C**	être de l'équipe de jour

SHOPPING

faire du shopping	**A**	faire du magasinage, des courses

SHOW

assister à un show	**A**	assister à un spectacle, à une foire commerciale

SHOWBIZ

faire partie du showbiz	**A**	faire partie de l'industrie du spectacle

SHOWROOM

visiter le showroom	**A**	visiter la salle d'exposition

SIDELINE

se trouver un sideline	**A**	se trouver un à-côté

SIÉGER

siéger sur un comité	**C**	siéger à un comité, faire partie d'un comité

SIGNALER

Signale le 911.	**A**	Fais le 911.
Signale 876-5432.	**A**	Compose 876-5432.

SIGNE

$ est le signe de piastre.	**I**	$ est le symbole de dollar.

SIGNER

signer quelqu'un	**I**	mettre quelqu'un sous contrat, engager quelqu'un

SITE

site d'un accident	**A**	lieu d'un accident
site d'une entreprise	**A**	emplacement d'une entreprise

SKATE-BOARD

un beau skate-board	**A**	une belle planche à roulettes

SKIDOO

faire du skidoo	**M**	faire de la motoneige

SLAQUE

une courroie slaque	**A**	une courroie lâche
un câble slaque	**A**	un câble mou

SLUSH

Il y a de la slush sur les trottoirs.	**A**	Il y a de la gadoue, de la neige fondante sur les trottoirs.

SMALL

small, médium ou large	**A**	petit, moyen ou grand

SNACK-BAR

travailler dans un snack-bar	**A**	travailler dans un casse-croûte

SNAP

poser un snap	**A**	poser un bouton-pression

SOCKET

visser l'ampoule dans le socket	**A**	visser l'ampoule dans la douille

SODA

soda à pâte	**C**	bicarbonate de sodium

SONGÉ

C'est songé.	**I**	C'est intelligent, astucieux, ingénieux.

SOUFFLER

souffler dans la balloune	**A**	passer l'alcootest

SOULEVER

soulever un point d'ordre	**C**	invoquer le règlement

SOUS

15° sous zéro	**A**	15° au-dessous de zéro

SOUS-CONTRACTEUR

confier le travail à un sous-contracteur	**A**	confier le travail à un sous-traitant

SOUS-CONTRAT

travailler en sous-contrat	**A**	travailler en sous-traitance

SOUS-TOTAL

calculer le sous-total	**A**	calculer le total partiel

SOUVENIR

Souviens-toi(z)en.	**D**	Souviens-t'en.

SPÉCIAL

assemblée spéciale	**A**	assemblée extraordinaire
livraison spéciale	**A**	livraison par exprès
prix spécial	**A**	prix réduit
spécial de la semaine	**A**	promotion de la semaine
spécial du jour	**C**	menu du jour, plat du jour
spéciaux	**A**	soldes, rabais, réclames

SPEECH

faire un speech	**A**	prononcer un allocution, faire un sermon

SPEED BUMP

installer un speed bump dans une rue	**A**	installer un ralentisseur dans une rue

SPEEDOMÈTRE

Le speedomètre indique 130 km/h.	**A**	L'indicateur de vitesse, l'odomètre marque 130 km/h.

SPONSOR

trouver un sponsor	**A**	trouver un commanditaire

SPOT

spot publicitaire	**A**	message publicitaire
Quel beau spot!	**A**	Quel bel emplacement!

SPRAY NET

mettre du spray net	**A**	mettre du fixatif

SQUEEGEE

Il y a un squeegee au coin de la rue.	**A**	Il y a un laveur de pare-brise au coin de la rue.

STAFF

le staff du bureau	**A**	le personnel du bureau

STAGE

à ce stage-ci	**I**	à ce stade-ci
stage industriel, d'entreprise	**I**	stage en entreprise

STAGNANT		
prononcé « stagnant »	I	prononcé « stag-nant »

STAND		
stand de taxis	C	station de taxis

STAND-BY		
être en stand-by	A	être en attente

STATIQUE		
éliminer la statique	A	éliminer l'électricité statique
Il y a de la statique sur la ligne.	A	Il y a de la friture sur la ligne.

STEAK		
steak de saumon	A	darne de saumon

STEERING		
le steering d'une voiture	A	le volant d'une voiture

STICKER		
apposer un sticker	A	apposer un autocollant

STOOL		
Tu n'es qu'un stool!	A	Tu n'es qu'un délateur, un mouchard!

STOOLER		
Il m'a stoolé.	A	Il m'a dénoncé.

STRIP-TEASE		
faire un strip-tease	A	faire un effeuillage

STYROFOAM		
un verre en styrofoam	A	un verre en styromousse, en mousse de polystyrène

SUBPŒNA		
recevoir un subpoena	A	recevoir une citation à comparaître, une assignation

SUCE		
la suce du bébé	I	la tétine, la sucette du bébé

SUCRE BRUN		
1/2 tasse de sucre brun	C	1/2 tasse de cassonade

SUITE		
suite 320	A	bureau, local 320
suite à votre appel	D	pour faire suite, en réponse à votre appel

SUJET		
sujet (dans une lettre)	A	objet
sujet à changement	I	indiqué sous réserve de modifications
sujet à l'approbation de	C	sous réserve de l'approbation de

SUPPLÉMENTAIRE

gagner en supplémentaire	**I**	gagner lors de la prolongation

SUPPORT

avoir besoin d'un support	**A**	avoir besoin d'un aide, d'un appui, d'un soutien
mettre un manteau sur un support	**I**	mettre un manteau sur un cintre

SUPPORTER

supporter un candidat	**A**	appuyer, soutenir un candidat
supporter un projet	**A**	financer un projet

SUPPOSÉ

être supposé de venir	**C**	être censé venir

SUR

appareil sur la garantie	**A**	appareil sous la garantie
être sur un comité	**A**	être membre, faire partie d'un comité
Qui est sur la ligne?	**A**	Qui est en ligne?
sur l'avion	**A**	dans l'avion
sur la rue	**A**	dans la rue
sur le journal	**A**	dans le journal
sur le 1er étage	**A**	au 1er étage
sur semaine	**A**	en semaine
tourner sur le feu rouge	**A**	tourner au feu rouge
vivre sur la ferme	**A**	vivre dans une ferme, à la ferme
vivre sur le BS , sur le bien-être	**C**	vivre de l'aide sociale

SÛR

Fais sûr que tout est correct.	**C**	Assure-toi que tout est correct.

SURTEMPS

faire du surtemps	**A**	faire des heures supplémentaires

SURVOLTAGE

câble de survoltage	**I**	câble de démarrage, câble volant

SVP

SVP, remplir le formulaire	**I**	Prière de remplir le formulaire

SWEAT SHIRT

porter un sweat shirt	**A**	porter un survêtement

SWEATER

un sweater vert	**A**	un chandail, un gilet vert

SWITCH

La switch ne fonctionne plus.	**A**	L'interrupteur ne fonctionne plus.

SYLLABUS

syllabus	**A**	plan de cours, sommaire

SYMPATHIE		
offrir ses sympathies	**A**	offrir ses condoléances
SYSTÈME		
Cela aide le système.	**A**	Cela aide l'organisme.
système de son	**C**	chaîne stéréo(phonique)

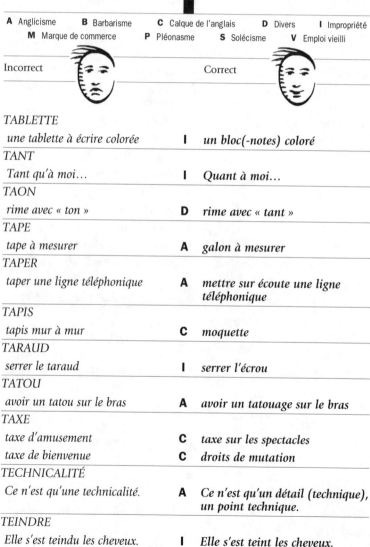

T

Anglicisme   **B** Barbarisme   **C** Calque de l'anglais   **D** Divers   **I** Impropriété
M Marque de commerce   **P** Pléonasme   **S** Solécisme   **V** Emploi vieilli

Incorrect   Correct

ST
80

TABLETTE		
une tablette à écrire colorée	**I**	un bloc(-notes) coloré
TANT		
Tant qu'à moi…	**I**	Quant à moi…
TAON		
rime avec « ton »	**D**	rime avec « tant »
TAPE		
tape à mesurer	**A**	galon à mesurer
TAPER		
taper une ligne téléphonique	**A**	mettre sur écoute une ligne téléphonique
TAPIS		
tapis mur à mur	**C**	moquette
TARAUD		
serrer le taraud	**I**	serrer l'écrou
TATOU		
avoir un tatou sur le bras	**A**	avoir un tatouage sur le bras
TAXE		
taxe d'amusement	**C**	taxe sur les spectacles
taxe de bienvenue	**C**	droits de mutation
TECHNICALITÉ		
Ce n'est qu'une technicalité.	**A**	Ce n'est qu'un détail (technique), un point technique.
TEINDRE		
Elle s'est teindu les cheveux.	**I**	Elle s'est teint les cheveux.

TEL		
Tel que convenu	**I**	*Comme (il a été) convenu*
TÉLÉPHONE		
Je dois faire un téléphone.	**I**	*Je dois faire un appel téléphonique.*
TÉLÉVISION		
Je regarde la tévé, la TV.	**A**	*Je regarde la télé. (abréviation familière)*
TEMPÉRATURE		
faire de la température	**I**	*faire de la fièvre*
Quelle mauvaise température!	**I**	*Quel mauvais temps!*
TEMPS		
arriver en temps	**C**	*arriver à temps*
en avant de son temps	**C**	*à l'avance, avant l'heure prévue*
temps double	**C**	*salaire majoré de 100 %*
temps et demi	**C**	*salaire majoré de 50 %*
temps simple	**C**	*salaire normal, de base*
temps supplémentaire	**C**	*heures supplémentaires*
TERME		
solliciter un 2e terme	**A**	*solliciter un 2e mandat*
termes d'un contrat	**C**	*conditions d'un contrat*
termes et conditions	**C**	*conditions générales*
termes faciles	**C**	*facilités de paiement*
TERRE		
La batterie est à terre.	**I**	*La batterie est déchargée, à plat.*
TÊTE		
tête d'oreiller	**I**	*taie d'oreiller*
THÈME		
thème musical	**C**	*indicatif musical*
TICKET		
donner un ticket	**A**	*donner une contravention*
TIMING		
Le timing est bon.	**A**	*Le moment est propice.*
TINQUE		
tinque à gaz	**C**	*réservoir à essence*
tinque d'eau chaude	**A**	*chauffe-eau*
TIRER		
tirer la chasse, la chaîne	**I**	*actionner la chasse*
TOAST		
manger une toast	**D**	*manger un toast, une rôtie*

81

TOASTÉ		
Un sandwich plain ou toasté?	**A**	*Un sandwich nature ou grillé?*
TOASTER		
Le toaster est sur le comptoir.	**A**	*Le grille-pain est sur le comptoir.*
TOILE		
toile d'une fenêtre	**I**	*store d'une fenêtre*
TOILETTE		
aller à la toilette	**D**	*aller aux toilettes*
TOMBE		
tombe en bois de chêne	**I**	*cercueil en bois de chêne*
TOMBER		
tomber en amour avec quelqu'un	**C**	*tomber amoureux de quelqu'un*
TOME		
rime avec « dôme »	**D**	*rime avec « Rome »*
TONNERRE		
Le tonnerre est tombé.	**I**	*La foudre est tombée.*
TORDRE		
Tords-lui le bras.	**C**	*Force-lui la main.* *Insiste lourdement.*
TOTAL		
grand total	**A**	*total général, global*
TOUNE		
Joue-nous une toune.	**A**	*Joue-nous une mélodie.*
TOURBE		
acheter de la tourbe	**A**	*acheter du gazon roulé*
TOUT		
tous et chacun	**I**	*tout un chacun*
TRACEL		
tracel de Cap-Rouge	**A**	*viaduc de Cap-rouge*
TRACTION AID		
utiliser des traction aids	**A**	*utiliser des bandes antidérapantes*
TRAIL		
trail de motoneige	**A**	*piste, sentier de motoneige*
TRAILER		
Le trailer a été réparé.	**A**	*La remorque a été réparée.*
TRAITE		
C'est ma traite.	**C**	*C'est ma tournée.*
TRÂLÉE		
trâlée d'enfants	**V**	*ribambelle d'enfants*

82

TRAMPOLINE

faire de la trampoline	**D**	faire du trampoline

TRANCHE

L'école a acheté une tranche.	**I**	L'école a acheté un massicot.

TRANSFÉRER

Je serai transféré à Hull.	**A**	Je serai muté à Hull.
Je vous transfère à la responsable.	**A**	Je vous passe la responsable.

TRANSFERT

transfert d'autobus	**A**	correspondance d'autobus
transfert d'un service à un autre	**A**	mutation d'un service à un autre

TRANSFORMEUR

Cette lampe comprend un transformeur.	**A**	Cette lampe comprend un transformateur.

TRANSIGER

Ces actions se transigent à 8 $.	**I**	Ces actions se négocient à 8 $.
transiger avec un pays	**I**	négocier, faire des affaires avec un pays

TRANSMISSION

ligne de transmission	**C**	ligne à haute tension

TRAVAIL

hommes au travail	**C**	travaux en cours
se trouver un travail comme soudeur	**C**	trouver un poste de soudeur
travail à contrat	**A**	travail à forfait

TRAVERSE

traverse de chemin de fer	**C**	passage à niveau

TROUBLE

avoir du trouble	**C**	avoir des ennuis, des tracas, des difficultés
causer, faire du trouble	**C**	causer des ennuis, faire des histoires
C'est trop de trouble.	**A**	C'est trop compliqué.
en trouble (ligne téléphonique)	**A**	en dérangement
être dans le trouble	**C**	avoir des ennuis, des problèmes
se donner du trouble	**C**	se donner du mal, prendre la peine de

TUILE

tuile de céramique	**I**	carreau de céramique

TUXEDO

porter un tuxedo	**A**	porter un smoking

UV

A Anglicisme　　**B** Barbarisme　　**C** Calque de l'anglais　　**D** Divers　　**I** Impropriété
M Marque de commerce　　**P** Pléonasme　　**S** Solécisme　　**V** Emploi vieilli

Incorrect		Correct

UNITÉ

| des unités de condo | **C** | *des appartements en copropriété* |
| des unités de logement | **C** | *des appartements, des logements* |

UNIVERSITAIRE

| cours, niveau universitaire | **I** | *enseignement universitaire* |
| Ma nièce est une universitaire. | **I** | *Ma nièce est une diplômée universitaire.* |

US

| 200 $ US (you ess) | **A** | *200 $ US (américains)* |

U-TURN

| faire un U-turn | **A** | *faire demi-tour* |

VACANCE

| passer une belle vacance | **A** | *passer de belles vacances* |

VALANCE

| poser une valance | **A** | *poser une cantonnière* |

VALET

| service de valet | **C** | *voiturier* |

VALEUR

| valeur au livre | **C** | *valeur comptable* |

VALISE

| valise de la voiture | **I** | *coffre de la voiture* |

VANITÉ

| Le dentifrice est sur la vanité. | **A** | *Le dentifrice est sur le meuble-lavabo.* |

VARIA

| varia (dans un ordre du jour) | **A** | *divers, questions diverses* |

VENDEUR

| Ce livre est un bon vendeur. | **A** | *Ce livre est un succès de librairie.* |

VENEER

| une planche de veneer | **A** | *une planche de contreplaqué* |

VENTE

vente	**A**	*solde, réclame, vente au rabais*
vente d'écoulement	**C**	*liquidation, solde*
vente de feu	**C**	*solde après incendie*
vente de garage	**C**	*vente-débarras*
vente de trottoir	**I**	*braderie*
vente finale	**C**	*vente ferme*
vente semi-annuelle	**C**	*solde semestriel*

VERBATIM

le verbatim du discours	**A**	*le mot à mot du discours*

VERSATILE

objet versatile	**A**	*objet tous usages, à tout faire*
personne versatile	**A**	*personne aux talents variés, polyvalente*

VERSUS

Rimouski versus Trois-Rivières	**A**	*Rimouski contre Trois-Rivières*

VESTE

la veste de son complet	**I**	*le gilet de son complet*

VIA

colis envoyé via autocar	**A**	*colis envoyé par autocar*
via les médias	**A**	*par l'entremise des médias*

85

VIDANGE

sortir les vidanges	**I**	*sortir les ordures, les déchets*

VIDANGEUR

Denis est vidangeur.	**I**	*Denis est éboueur.*

VIDÉO

posséder un vidéo	**I**	*posséder un magnétoscope*
visionner un vidéo	**D**	*visionner une vidéo*

VILLE

La ville a approuvé le projet.	**I**	*La Ville a approuvé le projet.*
Ville hôte	**I**	*Ville organisatrice, hôtesse*
Ville LaSalle et Ville d'Anjou	**D**	*LaSalle et Anjou*

VINGT

vingt(z)élèves	**D**	*vingt(t)élèves*

VINGTIÈME

20ième, 20^{ièmes}	**D**	*20e, 20es*

VIOLON

jouer les seconds violons	**C**	*jouer un rôle secondaire*
tête de violon	**C**	*crosse de fougère*
violon dingue	**I**	*violon d'Ingres*

VIRAGE		
virage en U	**C**	*demi-tour*
VIRER		
virer de bord	**V**	*changer de direction*
VOIE		
voie de service	**C**	*voie de desserte*
VOIRE		
voire même	**P**	*voire*
VOITURE		
voiture de courtoisie	**C**	*voiture de service, de prêt*
voiture usagée, de seconde main	**C**	*voiture d'occasion*
VOLER		
Cette enfant a volé le show.	**C**	*Cette enfant a volé la vedette.*
VOTE		
faire sortir le vote	**C**	*inciter les gens à aller voter*
VOTEUR		
Les voteurs se prononceront aujourd'hui.	**A**	*Les électeurs, les votants se prononceront aujourd'hui.*
VOÛTE		
voûte du bijoutier	**A**	*chambre forte du bijoutier*
VOYAGER		
voyager avec Air Canada	**S**	*voyager par Air Canada*
voyager par affaires	**I**	*voyager pour affaires*

WYZ

Incorrect   Correct

WALKMAN

écouter de la musique avec le walkman	**M**	*écouter de la musique avec le baladeur*

WASHER

le washer du robinet	**A**	*la rondelle du robinet*

WATCHER

Watche-le!	**A**	*Surveille-le! Observe-le!*
Watche-toi!	**A**	*Fais attention! Surveille-toi!*

WATERPROOF

un mascara waterproof	**A**	*un rimmel imperméable, à l'épreuve de l'eau.*

WET SUIT

François revêt son wet suit.	**A**	*François revêt sa combinaison de plongée.*

WINDSHIELD

le windshield d'une voiture	**A**	*le pare-brise d'une voiture*

WRENCH

Le wrench est dans la boîte à outils.	**A**	*La clé anglaise est dans la boîte à outils.*

YEUX

prononcé « zieu »	**D**	*prononcé « ieu »*
une belle paire de-z-yeux	**D**	*une belle paire d'yeux (dieu)*

ZAMBONI

La zamboni est sur la patinoire.	**M**	*La (re)surfaceuse est sur la patinoire.*

ZÉRO

15° sous, en bas de zéro	**I**	*15° au-dessous de zéro*

ZIPPER

le zipper d'un pantalon	**A**	*la fermeture éclair, la fermeture à glissière d'un pantalon*

ZOO

prononcé « zou »	**A**	*prononcé « zo »*

100 ÉNONCÉS MALMENÉS PAR LES JOURNALISTES

à chaque fois
académique
accaparer, s'
alternative
antidémarreur
appel d'offre
apprécier
après que
articulé
aviseur
bain-tourbillon
bar à salades
cage
certificat de naissance
certificat-cadeau
chambre des maîtres
chaque deux jours
charger
chef de pupitre
chefferie
chèque sans fonds
compenser
congé férié
conservateur
contracteur
corporation
coupure
cueillette
de Auger
défrayer
dons corporatifs
élaborer
éligible
émettre

en autant que
en demande
encourir
estimé
être à l'emploi de
être âgé entre
facture
faire face à la musique
flotte
formel
gazebo
gérant
gracieuseté
graduer
heure (6 h 00)
hors cour
huissier
identifier
incidemment
initier
jeter la serviette
juridiction
kiosque
le chat est sorti du sac
ligne ouverte
loger
manufacturier
mémo
nominé
octroyer
œuvrer
ombudsman
originer
pallier

par acquis de conscience
partir
passer sur le feu rouge
payeur de taxes
per diem
pierres aux reins
placer
point tournant
pour aussi peu que
prendre
prérequis
prime de départ
référer
regaillardir
remorqueuse
rencontrer
revamper
objecter, s'
sabrer
séance spéciale
sous zéro
supposément
sur la ferme
technicalité
température
tomber en amour
tous et chacun
tuxedo
un autre
un bon deux ans
vendeur
versatile

100 ÉNONCÉS MALMENÉS PAR LE PERSONNEL DE BUREAU

à l'effet que
à l'endos
à prime abord
à tout événement
à toutes fins pratiques
affaires corporatives
aller en appel
aller en grève
année fiscale
appel conférence
aviseur légal
balance
banqueroute frauduleuse
bénéfices marginaux
blanc de chèque
brainstorming
bris de contrat
budget d'opération
bumping
bureau des directeurs
bureau-chef
carte d'affaires
carte de compétence
carte de temps
casier postal
chiffre de jour
clause orphelin
clauses monétaires
code d'éthique
code régional
combler
comité aviseur
comité conjoint
couper

courrier enregistré
coûts d'opération
démotion
e-mail
en affaires
en devoir
en inventaire
endosser
extension
exécutif
fausse représentation
grand total
hernie
heures d'affaires
il me fait plaisir de…
initialer
introduire
inventaire
lever l'assemblée
livraison spéciale
mailing
meeting
mettre sur le hold
ministère
minutes
numéro civique
opérer
P. S.
Pagette
paie de vacances
pamphlet
par affaires
partir
passé date

passé dû
passer un règlement
payable sur livraison
pension
per capita
place d'affaires
post mortem
post-it
pour fins de…
pour votre information
prix de liste
prospect
quitter
régulier
représentant
réquisition
résulter
retourner un appel
transiger, se
seconder
secrétaire privé
shift
sous-total
spécial
suite à
sur un comité
sympathies
temps double
temps supplémentaire
un autre 500 $
varia
via

100 ÉNONCÉS MALMENÉS PAR LE PERSONNEL ENSEIGNANT

acétate

à l'année longue

à tous les jours

a.m.

assistant-directeur

attendre de, s'

au niveau de

au pire aller

au plan financier

avérer faux, s'

avoir besoin

blanc de mémoire

brocheuse

burnout

canceller

car en effet

carte d'identification

céduler

chaque

ci-attaché

ci-bas

ci-haut

comme par exemple

compléter

considérer

consœur

copie

cours secondaire

cours privé

de d'autres

débuter

définitivement

dépendant de

digital

dispendieux

dispenser

donne-moi-le

doubler

drastique

échouer

emphase

en ligne

en tout et partout

effectif

enjoindre

enregistrer, s'

en-tête

étampe

et bien!

et puis ensuite

être confiant que

être dû pour

être en charge de

être sous l'impression

être supposé de

être sur la ligne

étudiant

excessivement

faire application

faire sa part

fichier attaché

fier, se

frapper

garder la ligne

haïr

item

jusqu'à date

lettre de références

levée de fonds

ligne engagée

même à ça

mériter, se

mercredi le

mettre à date

moins pire

no., #

ouvrir la ligne

pécunier

poster, un

pratique

première priorité

premiers deux jours

prendre pour acquis

prendre un cours

prérequis

prime de séparation

prioriser

puis ensuite

rappeler, se

rejoindre

remettre à une date ultérieure

réouvrir

sauver

signer à l'endos

supporter

sur la rue

tablette à écrire

tel que convenu

une couple de

universitaire

versus

100 ÉNONCÉS MALMENÉS PAR LES ÉLÈVES

à cause que

à date

abreuvoir

aiguise-crayon

aiguiser

aller à la toilette

amener

aréoport

assis-toi

autobus

bal de graduation

balayeuse

banque

barrer

bas

batterie

bicycle

bienvenue

bleu marin

breuvage

broche

bus

caméra

cartable

casque de bain

cenne

centre d'achats

chambre de bains

char

commercial

connecter

couvert

couverte

crayon de plomb

crémage

de reculons

débarquer

déconnecter

descendre

divan

donne-moi-z-en

écale d'un œuf

efface

embarquer

enligner

enregistreuse

entraîneure

etc...

être en amour

exacto

fête

gaz

graduation

grafigner

kleenex

licher

linge

liqueur

lumière

maller

monter en haut

orteil

papier de toilette

pareil comme

pareil que

party

passe

patates pilées

pâte à dents

pédale à gaz

poêle

pogne

pogner

pratiquer

prends-toi-z-en

prix d'admission

quatre par quatre

renforcir

reviser

sacoche

salle à dîner

secondaire I

set

signaler

soixante et deux

spéciaux

support

sur semaine

système de son

tatou

tête d'oreiller

tévé

ticket

toast

trempoline

transfert

valise

vente

vidanges

vidéo

Test de révision

I. Trouver l'erreur qu'il y a dans chacune des phrases qui suivent.

a) La direction a sabré dans les postes de journaliers.

b) Ces deux compagnies se sont fusionnées.

c) La réunion a débuté à 14 h 05.

d) Trois employées se sont approchées de l'abreuvoir.

e) Si vous maîtrisiez davantage votre langue, nous vous en serions gré.

f) Cette trampoline est défectueuse depuis quelque temps.

g) Nous avons des suggestions pour pallier à ces inconvénients.

II. Traduire les mots suivants en français.

a) burnout

b) Post-it

c) bed and breakfast

d) intercom

e) doggy bag

f) booster (une batterie)

g) Pagette

h) e-mail

i) hose

III. Dans chacun des groupes de mots suivants, un seul est consigné dans les dictionnaires. Lequel?

1. a) infractus
   b) prérequis
   c) surtemps
   d) stock

2. a) contracteur
   b) insécure
   c) spot
   d) ivressomètre

3. a) stop
   b) performer
   c) céduler
   d) démotion

4. a) Gyproc
   b) abrévier
   c) déodorant
   d) pécunier

5. a) recoin
   b) originer
   c) aviseur
   d) canceller

6. a) adapteur
   b) polystyrène
   c) flanellette
   d) discontinué

IV. Abréger chacun des mots suivants.

a) numéro

b) kilomètre

c) post-scriptum

d) seconde

e) et cetera

f) minute

g) heure

h) boulevard

i) docteure

j) appartement

k) monsieur

l) premier

V. Trouver ce qu'ont en commun les mots suivants.

a) rénumérer

b) réouvrir

c) manicure

d) pécane

e) débalancé

f) renforcir

VI. Trouver ce qu'ont en commun les expressions suivantes.

a) à toutes fins pratiques

b) chaque deux jours

c) à prime abord

d) à l'année longue

e) à date

f) à chaque fois

g) vente de trottoir

h) carte d'affaires

i) être âgé entre 20 et 30 ans

VII. **Dans chacun des six numéros suivants se trouve un seul mot <u>toujours</u> employé dans le sens qu'il a en français standard. Lequel?**

1. a) gratis
   b) brocheuse
   c) vente
   d) monétaire

2. a) rabais
   b) peinturer
   c) alternative
   d) mémo

3. a) kiosque
   b) emphase
   c) solde
   d) éligible

4. a) sacoche
   b) pamphlet
   c) pile
   d) divan

5. a) élaborer
   b) alcootest
   c) graduer
   d) balayeuse

6. a) cartable
   b) liqueur
   c) définitivement
   d) tatouage

VIII. **La plupart des gens utilisent les mots suivants incorrectement. Par quoi devraient-ils remplacer chacun d'eux?**

a) drastique
b) cadran
c) incidemment
d) breuvage

e) cédule
f) vidange
g) publiciste
h) argents

i) académique
j) graduation
k) support
l) réhabilitation

IX. **Dans chacun des numéros suivants, un seul verbe existe à la forme pronominale. Lequel?**

1. a) pratiquer
   b) fusionner
   c) divorcer

2. a) transiger
   b) objecter
   c) proposer

3. a) négocier
   b) accaparer
   c) mériter

X. **Dans chacun des numéros suivants, une seule expression est correcte. Laquelle?**

1. a) une personne confortable
   b) une personne articulée
   c) le balancement des roues
   d) une tribune téléphonique

2. a) des items à l'agenda
   b) du temps supplémentaire
   c) l'enlèvement des ordures
   d) les dépenses encourues

3. a) une vidange d'huile
   b) Merci! Bienvenue!
   c) un estimé
   d) débuter une réunion

4. a) ouvrir la ligne
   b) au pis aller
   c) défrayer les dépenses de quelqu'un
   d) envisager des alternatives

5. a) changer un chèque
   b) il me fait plaisir de
   c) référer quelqu'un
   d) payable à la livraison

6. a) à l'effet que
   b) être censé
   c) en autant que
   d) comme par exemple

7. a) soixante et deux
   b) une levée de fonds
   c) un chèque-cadeau
   d) fermer la ligne

8. a) garder la ligne
   b) un billet de saison
   c) réduire au minimum
   d) un système de son

XI. **Les mots et expressions qui suivent sont incorrects. Par quoi devrait-on remplacer chacun d'eux?**

a) deux par quatre
b) vente de trottoir
c) sauver de l'argent
d) lettre de références
e) payeur de taxes
f) prix de liste
g) alignement des roues
h) vente de garage
i) réquisition

XII. **Toutes les expressions suivantes sont incorrectes. Par quoi devrait-on remplacer chacune d'elles?**

a) être sur un comité
b) temps double
c) ci-haut
d) assemblée spéciale
e) tomber en amour
f) tel que convenu

XIII. **Les verbes *partir, prendre, émettre* et *rencontrer* sont très souvent employés dans des expressions incorrectes. Quelle est l'expression correcte correspondant à...**

1. a) prendre une chance?
   b) prendre un cours?
   c) prendre pour acquis?
   d) prendre ça aisé?
   e) prendre une marche?

2. a) partir en affaires?
   b) partir une moto?
   c) partir une rumeur?
   d) partir les pommes de terre?
   e) partir une secte?

3. a) émettre un communiqué?
   b) émettre un permis?
   c) émettre un rapport?
   d) émettre un reçu?
   e) émettre un verdict?

4. a) rencontrer des besoins?
   b) rencontrer les échéances?
   c) rencontrer des engagements?
   d) rencontrer des normes?
   e) rencontrer des objectifs?

Corrigé du test de révision

I.
  a) Le verbe **sabrer** se construit avec un complément direct. Il ne peut donc pas être suivi de la préposition « dans ».

  b) Le verbe **fusionner** est employé à la forme pronominale. Or, ce verbe ne peut être employé à cette forme.

  c) Le chiffre **5** est précédé d'un **0**, ce qui est incorrect, car ce ne sont pas des décimales.

  d) Le mot **abreuvoir** devrait être remplacé par **fontaine**, car un **abreuvoir** est un lieu réservé aux animaux.

  e) L'expression **être gré** n'existe pas. Seule l'expression **savoir gré** existe.

  f) Le mot trampoline est masculin. À noter qu'il s'écrit avec un **a**.

  g) Le verbe **pallier** ne peut être suivi de la préposition **à**, car c'est un verbe transitif direct; il ne peut donc pas être suivi d'un complément indirect.

II.
  a) épuisement professionnel
  b) papillon adhésif
  c) gîte touristique
  d) interphone
  e) emporte-restes
  f) ranimer (une batterie)
  g) téléavertisseur
  h) courriel
  i) tuyau

III.
  1. d) stock
  2. c) spot
  3. a) stop
  4. c) déodorant
  5. a) recoin
  6. b) polystyrène

IV.
  a) n^o
  b) km
  c) P.-S.
  d) s
  e) etc.
  f) min
  g) h
  h) boul., bd, b^d
  i) D^{re}, Dre
  j) app.
  k) M.
  l) 1er

V. Aucun d'eux n'est consigné dans les dictionnaires.

VI. Aucune d'elles n'existe en français.

VII.
  1.a) gratis
  2.a) rabais
  3. c) solde
  4. b) pile
  5. b) alcootest
  6. d) tatouage

VIII.
  a) draconien
  b) réveil
  c) au fait
  d) boisson
  e) calendrier
  f) ordures
  g) publicitaire
  h) argent
  i) scolaire
  j) remise de diplômes
  k) cintre, soutien
  l) réadaptation

IX.
  1.a) pratiquer
  2. c) proposer
  3. a) négocier

X.
  1. d) une tribune téléphonique
  2. c) l'enlèvement des ordures
  3. a) une vidange d'huile
  4. b) au pis aller
  5. d) payable à la livraison
  6. b) être censé
  7. c) un chèque-cadeau
  8. c) réduire au minimum

XI.
  a) deux sur quatre
  b) braderie
  c) économiser, épargner
  d) ... de recommandation
  e) contribuable
  f) prix courant
  g) parallélisme des roues
  h) vente-débarras
  i) demande d'achat

XII.
  a) être membre d'un comité
  b) salaire majoré de 100 %
  c) ci-dessus
  d) assemblée extraordinaire
  e) tomber amoureux
  f) comme convenu

XII.
  1.a) prendre un risque
    b) suivre un cours
    c) tenir pour acquis
    d) ne pas s'en faire
    e) faire une promenade

  2.a) se lancer en affaires
    b) démarrer une moto
    c) lancer une rumeur
    d) mettre... au feu
    e) fonder une secte

  3. a) publier un communiqué
    b) délivrer un permis
    c) produire un rapport
    d) donner un reçu
    e) rendre un verdict

  4. a) répondre aux besoins
    b) respecter les échéances
    c) faire face à des engagements
    d) satisfaire aux normes
    e) atteindre des objectifs

Bibliographie

BERTRAND, Guy. *400 capsules linguistiques*, 2ᵉ éd., Outremont, Lanctôt Éditeur, 1999, 196 p.

CHOUINARD, Camil. *1300 pièges du français parlé et écrit au Québec et au Canada*, Montréal, Éditions Libre Expression, 2001, 322 p.

DRUIDE INFORMATIQUE INC., *Antidote MP*, Montréal, Druide informatique inc., 4ᵉ éd., 2001 (Cédérom hybride, Macintosh/Windows)

FOREST, Constance et Denise BOUDREAU. *Le Colpron : Le Dictionnaire des anglicismes*, 4ᵉ éd., Montréal, Éditions Beauchemin, 1998, 381 p.

GUILLOTON, Noëlle et Hélène CAJOLET-LAGANIÈRE. *Le français au bureau*, 5ᵉ éd., Québec, Éditeur officiel du Québec, 2000, 503 p.

LAMARRE, André. *L'Alimentation sans fautes*, Québec, Les Presses de l'Université Laval, 2000, 203 p.

LAURIN, Jacques. *Le bon mot : déjouer les pièges du français*, Montréal, Les Éditions de l'homme, 2001, 239 p.

MALO, Marie. *Téléinformations linguistiques* [En ligne] 1998, [www.hec.ca/~x067/chroniqueslinguistiques/teleinfo/index.htm] (8 décembre 2001)

MENEY, Lionel. *Dictionnaire québécois français*, Montréal, Éditions Guérin, 1999, 1884 p.

OFFICE QUÉBÉCOIS DE LA LANGUE FRANÇAISE. *La banque de dépannage linguistique.* www.oqlf.gouv.qc.ca

OFFICE QUÉBÉCOIS DE LA LANGUE FRANÇAISE. *Le grand dictionnaire terminologique,* www.granddictionnaire.com

OFFICE QUÉBÉCOIS DE LA LANGUE FRANÇAISE. *Téléphone linguistique*, service téléphonique sur audiotex.

VILLERS, Marie-Éva de. *Multidictionnaire de la langue française*, 4ᵉ éd., Montréal, Québec/Amérique, 2003, 1542 p.